dtv

Die unvergeßlich komische Geschichte eines geläuterten Sünders – des Lügners, Betrügers und Kleinstadt-Casanovas Harry Widmer junior, der sein vom Vater geerbtes Fahrradgeschäft eines Tages aufgibt und vor seinen Gläubigern und der schwangeren Geliebten nach Mexiko flieht. Zu Hause sitzen, während all der Jahre, »die Sauhunde« am Stammtisch, wissen alles und machen Harry zum Protagonisten ihrer allabendlichen Gespräche. Bis, ja, bis es zu einer Serie von dramatisch-banalen Ereignissen kommt, die Harry zur Umkehr bewegen und ihn erkennen lassen, daß Abhauen gar nichts nützt. Ein heiteres und weises Buch über die Tatsache, daß alles Streben nach Liebe und Glück letztlich zwar vergeblich, aber doch unbedingt notwendig ist.

Alex Capus, geboren 1961 in Frankreich, studierte Geschichte und Philosophie in Basel. Zwischen 1986 und 1995 arbeitete er als Journalist bei verschiedenen Schweizer Tageszeitungen, davon vier Jahre als Inlandredakteur bei der Schweizerischen Depeschenagentur SDA in Bern. Alex Capus lebt heute als freier Schriftsteller in Olten, Schweiz. Bisher veröffentlichte er außerdem: ›Diese verfluchte Schwerkraft‹ (1994), ›Munzinger Pascha‹ (1997; überarbeitete Neuausgabe 2003), ›Eigermönchundjungfrau‹ (1998; überarbeitete Neuausgabe 2004), ›Mein Studium ferner Welten‹ (2001), ›Fast ein bißchen Frühling‹ (2002), zu dem im Anschluß der Materialienband ›Was seither geschah‹ erschien, ›13 wahre Geschichten‹ (2004), ›Reisen im Licht der Sterne‹ (2005), ›Patriarchen‹ (2006) und ›Eine Frage der Zeit‹ (2007).

Alex Capus

Glaubst du, daß es Liebe war?

Roman

Deutscher Taschenbuch Verlag

Von Alex Capus
sind im Deutschen Taschenbuch Verlag erschienen:
Mein Studium ferner Welten (13065)
Munzinger Pascha (13076)
Fast ein bißchen Frühling (13167)
Eigermönchundjungfrau (13227)
13 wahre Geschichten (13470)

Ungekürzte Ausgabe
Februar 2005
5. Auflage Januar 2008
Deutscher Taschenbuch Verlag GmbH & Co. KG,
München
www.dtv.de
© 2003 Residenz Verlag, Salzburg-Wien-Frankfurt/Main
Umschlagkonzept: Balk & Brumshagen
Umschlaggestaltung: Stephanie Weischer unter Verwendung
einer Fotografie von Corbis/Franco Vogt
Gesetzt aus der Sabon 10,5/12,25·
Gesamtherstellung: Druckerei C. H. Beck, Nördlingen
Gedruckt auf säurefreiem, chlorfrei gebleichtem Papier
Printed in Germany · ISBN 978-3-423-13295-4

Für Juri

Konkursite Fahrradhändler und stolze Kleinstädter aller Länder, bitte herhören: Ihr seid nicht gemeint. Diese Geschichte hat sich vor vielen Jahrhunderten auf einem fernen Planeten abgespielt. Sie ist frei erfunden und entbehrt jeder Grundlage.
Ähnlichkeiten mit wirklichen Menschen sind rein zufällig und nicht beabsichtigt. Ehrenwort.

A. C.

Erster Teil

Laßt mich erzählen, wie mein Fahrradmechaniker Harry Widmer junior ein ziemlich guter Mensch wurde – er, der stets ein Prachtkerl von einem Schweinehund gewesen war, ein Lügner, Betrüger und Schläger von Kindesbeinen an, ein Faulenzer und Aufschneider und, spätestens ab dem sechzehnten Altersjahr, ein Wüstling.

Das nahm seinen Anfang an einem goldenen Frühsommernachmittag, als die Sonne ein langes Trapez durch die offenstehende Tür seiner Werkstatt warf. Harry war eben dabei, die Gangschaltung eines sündhaft teuren Mountainbikes einzustellen, das er einem junggebliebenen Amtsgerichtspräsidenten angedreht hatte – da hörte er draußen auf dem Gehsteig Schritte. Den hellen Klang kurzer, schneller Schritte auf hohen Absätzen. Er ließ den Schraubenzieher sinken, horchte und schaute durch die Tür hinaus ins Sonnenlicht.

Harry Widmer junior hatte das Geschäft drei Jahre zuvor von seinem Vater, dem verwitweten Harry Widmer senior, übernommen. Was heißt übernommen – erobert hatte er es, und zwar in einem jahrelangen, zermürbenden Abnützungskampf. Harry junior war gleich nach den obligatorischen neun Schuljahren in die väterliche Werkstatt eingetreten; das nicht unbedingt zur Freude des Seniors, der seinen Sohn schließlich kannte. Tatsächlich machte sich Harry junior während der gesamten dreijährigen Lehrzeit kaum je die Finger schmutzig. Denn schwarz verkrustete Kettenkränze, verrostete Schrauben, löchrige Schläuche und ausgeleierte »Sturmey-Archer«-Dreigangschaltungen – das war nichts für ihn. Solche Dinge überließ er lieber dem Vater. Was ihn viel mehr interessierte, waren die hübschen Dinge des Lebens: blondbezopften Radsportlerinnen rosa Wildlederhandschuhe verkaufen; Vertreter empfangen und diese saumäßig schlecht behandeln, zuletzt aber unglaubliche Mengen aus dem ganzen Sortiment bestellen; nachmittagelang versonnen in wohlriechenden Hochglanzprospekten blättern; mit Kreditkarten hantieren und die Registrierkasse bedienen. Wenn's denn unbedingt etwas Mechanisches sein mußte, so bitte allenfalls die Feineinstellung hydraulischer Bremsen an fabrikneuen Mountainbikes, oder die Montage pneumatischer Stoßdämpfer unter veloursbezogenen Damensätteln. Die meiste Zeit aber stand er draußen auf dem Gehsteig und rauchte Zigaretten. Das war das einzige, was der Vater vom Sohn unerbittlich forderte: daß er zum Rauchen ins Freie ging.

Die Lehrabschlußprüfung bestand er mit Ach und Krach und nur, weil der Prüfungsexperte ein alter Dienstkamerad von Harry Widmer senior war. Kaum aber hatte der Junior sein Diplom in der Tasche und war volljährig, wollte er auch schon Chef werden. Er begann den Alten zu bearbeiten. Zuerst warf er ihm kurze, vorsichtige Bemerkungen hin während der Kaffeepause über drei Fahrräder hinweg; bald aber hielt er dem Vater abends endlose Referate in der gemeinsamen Wohnung über der Werkstatt. Am Eßtisch sprach er von Wertschöpfung und Zielgruppen und Gewinnmargen, vor dem Fernseher von Cash-flow und Pay-back und Turnaround, beim Zähneputzen von Lifestyle und Lustgewinn und Lagerkostenminimierung. Der Senior nickte zu alldem. Während der

Junior redete, kochte er und trug das Geschirr ab und holte aus dem Kühlschrank Bier; denn er war es, der den Haushalt besorgte, seit die Frau nicht mehr da war.

Früher hatte sie sich um alles gekümmert, geschäftig von früh bis spät und immer leise bemüht, ihren zwei Männern nicht in die Quere zu kommen bei der Arbeit oder beim Biertrinken oder Fernsehen. Sie hatte kein Alter gehabt und kein Geschlecht und keine Haarfarbe, und ihre Hände waren rot gewesen wie gesottene Hummer von den scharfen Putzmitteln, mit denen sie tagein, tagaus die Böden schrubbte. Eines Sonntags aber zog sie die Schublade des Küchentischs auf und nahm einen der unbenutzten Wahl- und Abstimmungszettel hervor, auf denen sie gewöhnlich ihre Einkäufe notierte. Sie legte den Zettel auf den Tisch, nahm einen Bleistiftstummel aus der Schublade und schrieb auf die Rückseite: »Falls mich jemand sucht: Ich hänge im Buchenwald über der Hasenweid. Hundertundzwölf Schritte hinter der Picknickstelle. Vielen Dank.« Es war der Senior, der sie Stunden später fand, wie sie an einem Ast hing mit violettem Gesicht und beschmutzten Strümpfen. Er hatte kein Messer bei sich, mit dem er das Seil hätte durchschneiden können, und so mußte er sie mit einem Arm hochheben, um mit der anderen Hand den festgezogenen Knoten in ihrem Nacken zu lösen. Als ihm das endlich gelang, verlor er das Gleichgewicht und fiel mit der Frau ins Laub vom vorigen Jahr.

In der Folge hatten sich Vater und Sohn ans zweisame Zusammenleben gewöhnt. Der Senior versuchte dem Sohn die Mutter zu ersetzen, so gut er es verstand. Als der gewissenhafte Handwerker, der er war, verordnete er sich eine Anlehre in Hauswirtschaft. Nach wenigen Wochen hatte er den Haushalt auf seine männlich-mechanische Art im Griff und war in der Lage, vierzehn verschiedene Mahlzeiten zuzubereiten – zwei für jeden Wochentag, und immer streng nach Kochbuch. Am Samstag wurde gewaschen, am Sonntag gebügelt. Nur das Reinemachen überstieg seine Kräfte. Dafür stellte er eine Witwe aus der Nachbarschaft ein.

Der Junior hingegen – war einfach der Junior. Er richtete es sich gemütlich ein in der kostenlos kuschligen Wärme väterlicher Schuldgefühle, und weil das Preis-Leistungs-Verhältnis optimal war, blieb er. Während die jungen Leute seines Jahrgangs flügge wurden und Weltreisen unternahmen, in die nächste Universitätsstadt zogen oder Militärdienst leisteten, blieb Harry junior seinem Bubenzimmer treu. Daß auch bei ihm die Jahre vergingen, erkannte man nur an den wechselnden Postern über seinem Schreibtisch: Auf das Dick-und-Doof-Poster, das noch seine Mutter aufgehängt hatte, folgte Muhammad Ali, dann Nastassja Kinski, Kiss, die Raumfähre Columbia und schließlich Bo Derek.

Eine Dienstleistung aber verweigerte der Senior: Er folgte den betriebswirtschaftlichen Vorträgen des Juniors nicht mehr. Denn er hatte längst verstanden, was der Junge ihm beizubringen versuchte: daß man in ihrer Branche richtiges Geld nicht mit dem Flicken klappriger Damenfahrräder verdient, sondern einzig mit dem Verkauf schicker Bikes und teurer Accessoires.

Zuweilen merkte Harry junior, daß ihm der Vater nur mit einem Ohr zuhörte, oder gar nicht. Dann fing er an zu brüllen, zerdrückte rohe Kartoffeln in der Faust und verlangte, daß man ihn verdammt noch mal ernst nehmen solle, worauf der Senior dem Frieden zuliebe sich die einzig mögliche Antwort verkniff. Das wiederum erbitterte den Junior derart, daß er seine Bierflasche gegen die Wand schmeißen und türenschlagend aus der Wohnung stapfen mußte, um sich zu besaufen und morgens um vier stinkend, schwankend und Obszönitäten gurgelnd wieder heimzukommen.

2

Eines Abends am Eßtisch aber legte der Senior sachte Messer und Gabel auf den Teller, lehnte sich im Stuhl zurück und legte das Kinn in die rechte Hand.

»Weißt du was, mein Sohn? Du hängst mir zum Hals raus.« Er lachte überrascht, als ob ihm das eben gerade eingefallen wäre. Dabei hatte er diese Worte jahrelang schweigend wiedergekäut, mit der Zunge von einer Wangentasche in die andere geschoben hatte er sie, und immer wieder hinuntergeschluckt. Jetzt waren sie ihm entwischt, und er empfand große Erleichterung. Um das Wohlgefühl auszukosten, redete er weiter.

»Ich kann dir gar nicht sagen, wie sehr du mir zum Hals raushängst. Wenn ich morgens deine Visage sehe, möchte ich dir in die Eier treten. Wenn ich höre, wie rücksichtslos laut du deinen Kaffee schlürfst, könnte ich dich mit einem Zwölfzoll-Rennreifen erwürgen. Und wenn du mit deinem Busineß-Gequassel anfängst, verspüre ich den dringenden Wunsch, dir mit dem Fünfundzwanziger-Schlüssel die Fresse einzuschlagen.«

»Also hör mal, Papa ...«

»Nein, jetzt hörst du mir mal zu. Ich ertrage es nicht länger, daß du mit deinen Bierfürzen meine Atemluft verpestest. Ich will mich nicht mehr für deine Lümmeleien schämen vor der weiblichen Kundschaft. Und weißt du was? Ich will mich mit dir nicht mehr übers Geschäft streiten. Du kannst alles haben. Ich bin schon weg. Morgen ziehe ich aus.«

Sprach's und tat's und überschrieb das Geschäft, das er sechsundvierzig Jahre zuvor im Alter von neunzehn Jahren übernommen hatte, als sein Vater in den Krieg mußte, dem Junior. Er zog aus der gemeinsamen Wohnung aus und richtete sich den Lebensabend gemütlich ein in einer Seniorenresidenz, die am Waldrand stand und »Alpenblick« hieß.

Harry junior seinerseits machte sich umgehend ans Werk. Als erstes räumte er die Werkstatt aus. Die Werkzeuge und das Ersatzteillager des Vaters – die über Jahrzehnte angehäuften Millionen von Schrauben, Muttern, Zahnrädern und Kabeln, die unzähligen Räder, Rahmen, Reifen und Schläuche –, das alles verschwand in einem Schuppen hinter dem Haus. Harry nahm bei der Handelsbank einen hohen Kredit auf – einen sehr hohen, wie der Vater fand – und kaufte die nebenan leerstehende Pferdemetzgerei Hauri hinzu. Er ließ die Trennwand niederreißen, die so entstandene Halle weiß verputzen und elegant mit kleinen Halogenlampen ausleuchten. Zur schwarzledernen Sitzecke mit den Prospekten und Fachzeitschriften gehörte unbedingt eine italienische Espressomaschine, ins Schaufenster die Nachbildung eines hundertjährigen Hochrads sowie eine vierzigjährige türkisfarbene Vespa und aufs Vordach eine schicke Leuchtreklame, die ihm nachts rot ins Schlafzimmer schien. Von da an war das Geschäft keine Fahrradwerkstatt mehr, sondern HARRY'S CRAZY BIKE-CORNER.

Um sein persönliches Erscheinungsbild alldem anzupassen, gab Harry kurz vor der Eröffnung das Rauchen auf und kaute statt dessen Kaugummi. Er kaute Gummi mit Zimt-, Kaffee- oder Heidelbeeraroma. Am Abend vor der Eröffnung aber war er sehr aufgeregt, wogegen alle Kaugummis dieser Welt nichts halfen, eine kleine Zigarette aber wohl. Von da an rauchte Harry wieder wie zuvor – mit dem Unterschied, daß er sich jetzt zwischen zwei Zigaretten jeweils einen Kaugummi in den Mund schob.

Zur Eröffnung organisierte Harry junior ein Mountainbike-Rennen in der alten Kiesgrube. Das Rennen wurde ein voller Erfolg. Zum Start meldeten sich dreihundert Fahrer, an der Strecke postierten sich doppelt so viele Freunde und Angehörige. Im Start- und Zielraum stieß die Provinzprominenz mit Prosecco an, der Stadtpräsident hielt eine Rede. Nur Harry senior hielt sich vom Rennen fern, vielleicht in vorausschauender Scham über das Geschäftsgebaren des Sohns. Tatsächlich nötigte dieser alle Anwesenden zum Kauf von mindestens drei Losen für eine Lotterie, die er selbst organisiert hatte. Der Hauptpreis war imposant: ein Karbonrad mit Hydraulikbremsen und radial gespeichten Alufelgen, für das eine Kellnerin gut drei Monatslöhne hätte hergeben müssen. Nach dem Rennen gab es eine Siegerehrung für jede Geschlechts- und Altersklasse samt Pokalen und Medaillen und Siegerküßchen, und als die schlammverkrusteten Fahrer das Podest freigegeben hatten, stieg Harry junior hinauf und nahm vor aller Augen eigenhändig die Ziehung des Hauptgewinns vor. Der glückliche Gewinner hieß – Harry Widmer senior. Die Menge johlte. Keiner empörte sich gegen den offenkundigen Betrug, im Gegenteil: Die Kleinstädter waren glücklich, Augenzeugen zu sein bei der Geburt einer typischen Harry-junior-Anekdote mit langer Halbwertszeit, welche übrigens noch verlängert werden sollte durch die Tatsache, daß der Senior sein Karbonrad gar nie zu Gesicht bekam; denn der Junior verkaufte es wenige Tage nach dem Rennen an den übergewichtigen jüngsten Sohn des hiesigen Immobilienlöwen, der offenbar dem Glauben anhing, daß Radfahren um so schlanker mache, je mehr Geld man dafür ausgibt.

An jenem Tag also näherten sich Schritte dem Eingang zu HARRY'S CRAZY BIKE-CORNER. Dann tauchte in der offenstehenden Schiebetür eine Gestalt auf, zeichnete sich scharf gegen das Sonnenlicht ab, warf einen langen, grazilen Schatten hinein in den Laden – und war auch schon verschwunden. Harry junior drückte mit der Zunge seinen Kaugummi gegen den Gaumen. Was war das denn gewesen? Ihm war es vorgekommen, als ob die Gestalt keine direkte Berührung mit ihrem Schatten gehabt hätte, sondern eine Handbreit Abstand von ihm hielt. So etwas hatte er noch nie gesehen. Das war natürlich unmöglich. Das hätte ja bedeutet, daß der Gestalt die Sonne unter ihren winzigen Füßen durchgeschienen hätte – und das wiederum wäre nur möglich gewesen, wenn sie nicht eigentlich gelaufen, sondern vielmehr geschwebt wäre. Harry junior löste den Kaugummi vom Gaumen und eilte zur Tür, um ihr hinterherzusehen. Und das war etwas, was er noch nie getan hatte.

3

Harry junior war wohl ein Schweinehund, aber im Städtchen ziemlich beliebt. Zwar wußte jeder, daß er überall
Geld borgte und niemals zurückzahlte und daß er Liefe-
ranten und Handwerker prellte und sein Lebtag keinen
Groschen Steuern bezahlt hatte; aber die Steuerbehörde,
die Gewerbler, die Handelsbank, das Gas- und das Elek-
trizitätswerk – sie alle drückten seit je beide Augen zu
und vertrauten darauf, daß ja immer noch Harry Widmer
senior da sein würde, falls es einmal hart auf hart kommen sollte. Daß der Junior im » Rathskeller« großmäuli-
ge Reden schwang mit seinem Zürcher Dialekt, den er
sich als Teenager angeeignet hatte, ohne je länger als
einen Nachmittag in Zürich gewesen zu sein: Auch das
verzieh man ihm. Er war halt der Harry junior. Schließlich zahlte er regelmäßig seine Runden Bier – nicht Tisch-
runden, sondern Lokalrunden.

Und die Damen? Was hielten die Damen von ihm, der
wer weiß wie oft schon unaussprechliche Geschlechts-
krankheiten im Bordell aufgelesen und unter den Töchtern des Städtchens verteilt hatte? Der schon mindestens
zwei minderjährige Mädchen geschwängert und zum Ab-
treiben nach Holland chauffiert hatte? Der einmal mit
einer hübschen, gescheiten und herzensguten Fabrikan-
tentochter verlobt gewesen war, diese aber kurz vor der
Hochzeit verließ, als ihr Vater Konkurs ging? Die Antwort lautet: Auch sie mochten ihn. Weshalb, ist schwer
zu sagen. Wohl hatte Harry junior kräftige, quadratische

Hände und dunkle Locken, die sich um so enger um seinen Schädel ringelten, je mehr er beim Radfahren ins Schwitzen geriet – aber so was hat mancher. Wohl hatte er eisblaue Augen unter pechschwarzen Brauen – aber wenn er sein Lächeln aufsetzte und seine viel zu weißen Zähne zeigte, konnte das auch die naivste Vierzehnjährige nicht anders als anzüglich empfinden. Vermutlich mochten die Damen ihn, gerade weil er ein Schweinehund war und nicht die geringste Anstrengung unternahm, das zu verheimlichen. Das war der Unterschied zwischen ihm und den anderen Männern: Von ihm wußten sie, daß er ein Schweinehund war, von allen anderen nahmen sie es nur an.

Jedenfalls gab es immer eine Anzahl Damen aller Altersklassen, die ihre Räder auffällig oft zur Reparatur in HARRY'S CRAZY BIKE-CORNER brachten. In den Nachmittagsstunden kamen die Dreizehn- und Vierzehnjährigen. Sie durften umsonst Cola aus dem Kühlschrank nehmen und ihm bei der Arbeit zuschauen, solange sie ihm nicht auf die Nerven gingen. Wenn ihm danach war, sprach er mit ihnen über Wildpferde und die Sommernächte in Norwegen. Wenn er sie loswerden wollte, machte er ihnen Komplimente über ihre dürren Beine oder fragte, ob sie schon mal einen Jungen geküßt hätten.

Die Teenager wußten, wann sie das Feld zu räumen hatten: nach Büroschluß, wenn die Volljährigen auftauchten. Die behandelte Harry junior mit betonter Gleichgültigkeit. Wenn eine ihr Rad in den Bike-Corner schob und ihn grüßte, so nickte er vielleicht stumm, ließ aber kein Auge von den Ketten und Zahnrädern, die er gerade in Arbeit hatte. Und wenn die Dame dann leicht verunsichert von den mechanischen Mängeln ihres Rads zu berichten anfing, tat er, als ob sie gar nicht da wäre, pfiff vielleicht leise zur Musik, die im Radio lief, während die Dame nur noch stockend redete und verstummte und nicht mehr wußte, wohin mit sich und ihren Händen. Dann konnte er sich plötzlich nach ihr umdrehen, sein Lächeln aufsetzen und sagen: »Wir sollten mal zusammen ausfahren, wir beide. Wir ganz allein, meine ich.«

Und wenn dann eine darauf hinwies, daß sie eine verheiratete Frau sei, sagte er: »Um so besser.«

Natürlich hatte solche Dreistheit wenig Aussicht auf Erfolg. Aber da statistisch gesehen auch die unwahrscheinlichsten Ereignisse mit einer gewissen Regelmäßigkeit eintreten, wenn man nur genug Versuche unternimmt, konnte er sich über einen Mangel an Ausfahrten nicht beklagen.

Harry junior hegte eine gleichgültige Zuneigung zum weiblichen Geschlecht. Wenn ihm eine gefiel, versuchte er sie zu kriegen. Wenn es nicht klappte – auch gut. Und wenn ihn eine nach zwei oder drei Ausfahrten unter Tränen beschwor, daß es so keinesfalls weitergehen könne, daß ihre Liebe keine Zukunft hätte, weil zu viel auf dem Spiel stehe, und daß er sie unbedingt vergessen müsse, auch wenn ihm das jetzt unmöglich scheine – so tat er das. Ohne Umstände. Wie man einen faden Film vergißt, sobald im Kino das Licht angeht.

Hingegen war Harry keiner, der am Kneipentisch schlecht über Frauen sprach. Das fand er schwach und langweilig. Für ihn waren Frauen weder besser noch schlechter als andere Menschen. Man konnte seinen Spaß mit ihnen haben, und damit Schluß.

Was die Ausfahrten betraf, so unternahm Harry junior die erstens wegen der Damen und zweitens, weil er als Inhaber des Bike-Corners zu Sportlichkeit verpflichtet war. Im Grunde aber hegte er nur Verachtung fürs Radfahren – für dieses hündische, demütige Strampeln mit gebeugtem Rücken, das Hämorrhoiden verursacht und die Blutzirkulation unterbindet sowohl am Hintern wie auch an anderer existentiell wichtiger Unterleibsregion. Es widersprach Harrys Naturell, zu keuchen und zu schwitzen und sich zu quälen zu dem einzigen Zweck, von einem Ort zum anderen zu gelangen. Dafür hatte die Menschheit den Verbrennungsmotor erfunden. Aber diese Haltung öffentlich kundzutun wäre geschäftsschädigend gewesen. Also zwängte er sich zwei- oder dreimal wöchentlich in schwarze Radlerhosen, die lächerlicherweise am Hintern gepolstert sein mußten, streifte eines jener enganliegenden, bunten und synthetischen Shirts über, die schon nach wenigen hundert Metern Fahrt nach kaltem Schweiß stanken, fuhr los mit mächtigem Antritt unter den Augen seiner Kundschaft und preschte zum Waldrand hoch – auch ohne Damenbegleitung, wenn keine zur Verfügung stand. Dort legte er sich hinter einem Gebüsch ins Laub und wartete eine Stunde oder zwei, bevor er strampelnd, hüpfend und Kunststücke vollführend wieder im Städtchen einritt.

4

Die schwebende Gestalt hatte Mandelaugen, den stolzen, eleganten und zugleich demütigen Gang einer Tempeltänzerin und hörte hierzulande auf den Namen Nancy. Sie war geboren vor vielleicht fünfundzwanzig Jahren in einem Dschungeldorf, in dem nachts die Tiger brüllten und die Häuser wegen der Schlangen und Giftspinnen auf Stelzen standen. Mit vierzehn Jahren war sie auf einem Floß aus Bambusstangen in eine fieberverseuchte Barakkensiedlung am Rand einer großen Stadt gezogen, und vor ein paar Jahren war sie auf Einladung eines Herrn in ein Flugzeug gestiegen, das nach achtzehn Stunden Flug in einem schneebedeckten Tal landete. Den Herrn hatte sie nach einigen Monaten aus den Augen verloren, worauf sie von einem Ort zum nächsten zog, bis sie schließlich hier im Städtchen gelandet war, wo sie seit kurzem die Piano-Bar des Hotel Metropol führte, und zwar von zehn Uhr abends bis vier Uhr morgens.

Gerne würde ich an dieser Stelle berichten, daß sie eine aufsehenerregend exotische Erscheinung war im biederen Städtchen und daß sich die Leute den Hals verdrehten nach der fremdländischen Schönen. Aber das wäre nicht wahr. Die Wahrheit ist, daß Mädchen wie sie in den achtziger Jahren nachgerade zum Stadtbild gehörten – im Katalog begutachtet, gegen Vorauszahlung angefordert und geheiratet von einheimischen Bürgersöhnen, denen einheimische Bürgertöchter zu wenig anschmiegsam waren.

Nancy hatte Mandelaugen, glänzend schwarzes Haar und ein bezauberndes Lächeln, darüberhinaus eine auffällig blecherne Stimme, die seltsam mit ihrem samtenen Äußeren kontrastierte und mit der sie ziemlich gut Deutsch sprach. Bemerkenswert war auch, daß sie jeden Gast spätestens nach dem zweiten Besuch beim Vornamen kannte.

In der Piano-Bar waren die Wände mit dunkelbraunem Spannteppich bespannt und hingen orangefarbene Leuchtkugeln von der Decke, und der Fußboden war ein einziger großer Rauchglasspiegel. Niemand ging freiwillig dorthin – niemand, der kein Bauer aus den umliegenden Dörfern und noch halbwegs bei Trost war. Als aber Nancy auftauchte, begann die Blütezeit des Lokals. Jetzt fläzten sich nicht mehr nur landflüchtige Dörfler und ungeküßte Buchhalter in die geblümten Velourssessel, sondern auch Leute, auf die es wirklich ankam im Städtchen. Die Herren vom Stadtbauamt kamen nach langen Sitzungen auf einen Drink oder zwei. Die Herren Redakteure vom Lokalblatt feierten hier regelmäßig Redaktionsschluß. Die Herren vom römisch-katholischen Kirchenrat gönnten sich ein Gläschen. Und manchmal fuhren auch die Herren vom Eishockeyklub im Mannschaftsbus vor.

Selbstverständlich erklärte sich Nancys Erfolg nicht allein mit ihren äußerlichen Vorzügen und ebensowenig mit der Komödie scheuer Unterwerfung, die die Herren von einer Asiatin einfach erwarteten und die sie ihnen auch bot. Wirklich neu und faszinierend war jene furchterregend lange Schere, die Nancy am ersten Arbeitstag an einer Schnur neben dem Whisky-Regal aufgehängt hatte. Es ging das Gerücht, daß ihr mit der Schere das Kleid samt Unterwäsche vom Leib schnipseln dürfe, wer erstens ihre Gunst gewinne und zweitens genügend Bargeld auf den Tresen lege. Die Herren waren begeistert.

Auch Harry Widmer junior war begeistert. Abend für Abend hockte er pünktlich ab zweiundzwanzig Uhr an der Bar. Die Unterarme auf dem Tresen, das Kinn auf die übereinandergelegten Hände gestützt, süffelte er einen Single-Malt-Whisky nach dem anderen, beobachtete jede von Nancys Bewegungen und war fasziniert wie, sagen wir, ein Bub von einem Löffelbagger. Er war begeistert von ihrem zurückhaltenden Stolz und dem soldatischen Mut, mit dem sie Abend für Abend in feindlicher Umgebung Dienst tat. Er fand es hinreißend, daß sie ihn keines Blickes würdigte und daß sie keine Sommersprossen hatte und keins von diesen nichtsnutzigen Bürgerweibern war, die Massagekurse besuchten und schlechte Aquarelle malten und Jazztanz trieben und das alles auch noch als ihre »Arbeit« bezeichneten; und vor allem fand es Harry großartig, daß Nancy weder Buchmüller noch Habermacher oder Krimplstätter hieß und daß sie nicht mit ihm zur Schule gegangen und niemandes Schwester oder Tochter oder Freundin oder Ehefrau war.

Den Mund machte Harry nur auf, um den nächsten Whisky zu bestellen. Denn mit Nancy reden wollte er nicht. Das ewige Gerede, auf das die Weiber nun mal nicht verzichten können, würde noch früh genug anfangen. Wenn aber ein anderer sich an die Bar stellte, vielleicht einer vom Eishockeyklub oder vom Kirchenrat, um womöglich etwas Nettes zu Nancy zu sagen, bleckte Harry Widmer junior die Zähne, wedelte mit der Hand und knurrte: »Hau ab, Mann.« Und wenn der andere nicht gleich verstand: »Hau ab, geh Pilze suchen. Na los! Dort hinten hat's freie Tische.«

Harry junior führte sich auf wie ein Kettenhund, und

Nancy war seine Herrin – fehlte nur noch, daß sie ihm den Kopf tätschelte. Manchmal knurrte er zu laut und fletschte allzu furchterregend die Zähne, dann mußte sie ihn an die kurze Leine nehmen und zurechtweisen. Denn wenn es ihr auch recht war, daß Harry ihr die Herren vom Leib hielt, so sollte er sie doch nicht grad aus dem Lokal verscheuchen.

Was die Schere betraf – das fand Harry in den folgenden Wochen durch empirische Langzeitbeobachtung heraus –, so diente die in Tat und Wahrheit zu nichts anderem als zum Aufschneiden der Orangensaftpackungen, und offenbar hatte niemand anders als Nancy selbst die Geschichte vom Kleiderzerschnipseln in die Welt gesetzt. Anerkennend blies Harry seinen Kaugummi auf und holte ihn wieder ein, indem er die Lippen über die Blase stülpte. Respekt. Das Mädchen verstand etwas von Marketing.

Eine weitere wichtige Beobachtung machte Harry jeweils nach der Sperrstunde, wenn er als letzter aus der Piano-Bar wankte, auf den Fahrersitz seines Jeep Cherokee Chief kletterte und ein paar letzte Zigaretten rauchte, bevor er den Wagen stehenließ und zu Fuß heimging. Nach der dritten oder vierten Zigarette nämlich fuhr jeweils ein Taxi vor. Dann öffnete sich der Personaleingang der Piano-Bar, und Nancy kam heraus, stieg ins Taxi und fuhr weg. Immer allein.

5

Unbekannt war Harry junior hingegen, daß Nancy sich nicht nur die Vornamen ihrer Kunden einprägte, sondern auch anderes Wissenswertes, wie etwa Marke, Baujahr und Preisklasse ihrer Autos. Während er in Erfahrung brachte, daß sie im Hotel Adler ein Einzelzimmer bewohnte, dort stets bis Mittag schlief und dann mit dem Zug ins Nachbarstädtchen fuhr, um den Nachmittag unerkannt und unbehelligt im Strandbad zu verbringen – während er also das in Erfahrung brachte, wußte sie ihrerseits schon, daß er nicht zu jung und nicht zu alt war und nicht übel aussah, zudem ungebunden und gesund war und nicht allzu bösartig und daß ihm das Geld locker in der Tasche saß.

Diese Informationen drangen tröpfchenweise in ihre Köpfe, sammelten sich auf den Gehirnböden und vermengten sich dort mit halbbewußten Wünschen, Begierden und Zielen zu einem Nährboden, der ziemlich bald ziemlich hübsche Blüten trieb. So war es nur eine Frage der Zeit, bis Harry Widmer junior eines Mittags im Kaugummikauen innehielt und seine Hochglanzprospekte beiseite legte, das »Heute geschlossen«-Schild an die Glastür hängte und im Cherokee Chief ins Nachbarstädtchen fuhr, um sich einen Nachmittag im Strandbad zu gönnen. Dann war es auch nur eine Frage der Zeit, bis die beiden gemeinsam in die Ferien fuhren, und zwar nicht irgendwohin, sondern auf die Seychellen, und für volle drei Wochen. Das war für Harry, der stets ein Freund

kleiner Ausritte, einmaliger Abende und allenfalls ver-
längerter Wochenenden gewesen war, etwas ganz Neues.
Und für Nancy vermutlich auch.

Am fünften Ferientag dann war nach dem Tennisspiel
auch schon vom Heiraten die Rede. Und weitere sechs
Tage später litt Nancy beim Frühstück an Übelkeit. Das
war seltsam, denn auf der Beachparty am Abend zuvor
hatte sie nur einen Caipirinha getrunken. Als sie am
Frühstücksbuffet vorbei zur Toilette stürzte, schaute Harry Widmer junior ihr stirnrunzelnd hinterher. Wenn die
Ursache ihres Unwohlseins die war, die er befürchtete,
kam ihm das jetzt ungelegen. Sehr, sehr ungelegen. Übers
Heiraten reden konnte man immer, das kostete nichts,
solange es beim Reden blieb. Aber Nachwuchs – das war
von Beginn weg eine Sache, die sozusagen Hand und Fuß
hatte. Das bedeutete Umtriebe und Unkosten, und die
konnte er zur Zeit grad überhaupt nicht gebrauchen.
Denn wenige Minuten zuvor hatte ihm der Rezeptionist
auf einem silbernen Tablett einen Brief neben die Kaffeekanne gelegt, der auf Umwegen am Hotelfax angekommen war. Absender war das heimatliche Finanzamt. Es
kündigte Harry erhebliche Unannehmlichkeiten an für
den Fall, daß er wider Erwarten nicht innert zehn Tagen
seine über zwölf Jahre aufgelaufenen Steuerrückstände
begleichen sollte.

Harry rieb sich das Kinn. Er zerpflückte drei Brötchen,
pulte die Rosinen aus dem Müsli und versank tief in
seinen Korbsessel. Aber nach ein paar Minuten ging ein
Ruck durch seinen Körper, und er saß wieder aufrecht.
Mit neuem Schwung schenkte er sich Kaffee ein, und
siegesgewiß rührte er den Zucker auf. Harry Widmer
junior hatte den Überblick wieder. Er würde mit alldem
fertig werden. Das Steueramt war das Steueramt, und die

Frau war die Frau. Erst würde er das eine Problem lösen, dann das andere.

»Na, geht's?« fragte er, als Nancy an den Tisch zurückkehrte.

»Ja, ja«, sagte sie mit ihrer blechernen Stimme und tupfte sich mit der Serviette die Mundwinkel ab. »Das war der Leberkäse auf deinem Teller. Der stinkt ja zum Kotzen.«

»Ach ja?« Harry junior schnüffelte an seinem Teller. »Ich rieche nichts.«

»Stellst du ihn bitte weg?«

»Der Leberkäse ist in Ordnung.«

»Würdest du bitte ...?«

»Vielleicht sind die Shrimps von gestern abend schuld.«

»... den Teller wegstellen?«

»Eine kleine Lebensmittelvergiftung. Das wird schon wieder.«

»Harry?«

»Shrimps sind sowieso ein Schweinefraß. Voller Pestizide, Insektizide, Fungizide und Hormone. Trink Cola, das hilft.«

»Laß die armen Shrimps zufrieden. Wenn du jetzt bitte den Leberkäse ...«

»Kellner, one Cola!«

»Harry, bitte!«

»Kellner! Kellner! Na endlich, geht doch. Trink das! Wirst sehen, am Mittag bist du wieder auf dem Damm. Dann gehen wir Tennis spielen.«

Mittags war Nancy tatsächlich wieder auf dem Damm, und sie spielten Tennis in der sengenden Sonne. Dann liefen sie hinunter zum Strand, um sich abzukühlen, und die späten Nachmittagsstunden verbrachten sie zu zweit im Hotelzimmer, dessen Jalousien schmale Streifen grellen Tropenlichts aufs Doppelbett warfen. Harry war sehr zufrieden. Alles war in bester Ordnung. Daß sich Nancys Lebensmittelvergiftung auch am nächsten Morgen bemerkbar machte und am übernächsten und an allen übrigen bis zum Tag der Heimreise, war nicht weiter schlimm. Mittags war sie ja jeweils wieder auf dem Damm.

6

Vor den Ferien hatte Harry geträumt von frisch ge-
pflückten Ananas, atemberaubenden Sonnenuntergängen
unter Palmen, exotischen Longdrinks am Pool und nei-
dischen Männerblicken auf Nancys lange Beine. Zu seiner Genugtuung war alles wahr geworden. Auf dem
Frühstücksbuffet lagen nicht nur frische Ananas, Papayas
und Mangos, sondern auch andere Köstlichkeiten mit
unaussprechlichen Namen; beim Schnorcheln im hotel-
eigenen Korallenriff hatte er eine regenbogenfarbene
Wunderwelt entdeckt, in der er gern für immer geblieben
wäre; und wenn er mit Nancy auf dem Motorroller einen
Ausflug unternahm, bremste er gelegentlich absichtlich
scharf, um ihre kleinen Brüste im Rücken zu spüren. Das
fühlte sich genauso an, wie er es sich vorgestellt hatte.

Aber in den letzten Ferientagen wurde ihm die Zeit
doch lang. Er war es nun mal nicht gewohnt, daß die
Dame, die morgens neben ihm aufwachte, über einen so
langen Zeitraum die gleiche Haarfarbe hatte, die gleichen
Körpermaße und das gleiche Parfüm. Nicht daß er Nancys überdrüssig geworden wäre, im Gegenteil; Harry
wunderte sich schon selber über seine anhaltende Begei-
sterung. Aber am Morgen der Heimreise freute er sich
doch sehr auf seinen Bike-Corner, die Wohnung und die
gelegentlichen Ausfahrten zum Waldrand. Am Flughafen
erwog er noch, der einen oder anderen Daheimgebliebe-
nen eine Karte zu schreiben, entschied sich dann aber
dagegen; wenn es sich irgend vermeiden ließ, gab er den

Damen lieber nichts Schriftliches in die Hand. Als er und Nancy schließlich an Bord der Air-France-Maschine saßen und warteten, bis der Pistenwart die streunenden Hunde von der Startbahn gescheucht hatte, fiel ihm ein weiteres Problem ein, das er sich selbst eingebrockt hatte, und zwar gleich in der ersten Ferienwoche: Er hatte ihr in einem Moment sinnlicher Sattheit vorgeschlagen, daß sie ihr Zimmer im »Adler« aufgeben und bei ihm einziehen solle – ein Fehler, der ihm im ganzen Leben noch nie unterlaufen war. Bedauerlicherweise hatte sie zugestimmt; aber ernsthafte Sorgen machte er sich deswegen nicht. Wenn Schwierigkeiten auftauchten, würde er sie halt rauswerfen.

Der heimische Flughafen lag im Nebel, die Zöllner musterten die Heimkehrenden mit stummem Vorwurf, und die Eisenbahn hielt sich lächerlich präzise an den Fahrplan. Zu Hause angekommen aber erhielt Harry Widmer juniors wiedergefundener Optimismus einen argen Dämpfer. Denn im Briefkasten lagen zwischen Gratiszeitungen und Prospekten ultimative Zahlungsaufforderungen der Stadtwerke, der Telekom und der Krankenversicherung, und die Handelsbank drängte unwirsch auf unverzügliche Bezahlung der Hypothekarzinsen einschließlich der Zinseszinsen und Zinseszinseszinsen. Harry stand im Flur in geblümtem Hemd und Bermudashorts und fühlte, wie der Boden unter seinen Plastiksandalen nachgab. Diese Sauhunde. Als besonders verletzend empfand er den unpersönlichen, kalten Ton, in dem die Rechnungen abgefaßt waren. Hatte er nicht mit jedem der Unterzeichneten unzählige Abende im »Rathskeller« verbracht? Hatte er nicht jedem von ihnen hektoliterweise Bier spendiert? Und war es denn seine Schuld, daß der Kurs der südafrikanischen Diamanten-Aktien, die er mittels Kleinkredit gekauft hatte, ins Bodenlose gefallen war, statt wie allseits erwartet himmelhoch zu steigen? Sehr beunruhigend fand Harry auch, daß die Schreiben alle das gleiche Datum trugen. Die Sauhunde hatten sich abgesprochen, das war offensichtlich; keiner hatte die Jagd auf ihn eröffnen wollen, indem er die erste Betreibung einleitete – aber als letzter leer ausgehen hatte dann auch keiner gewollt. Vielleicht hatten sie das Todesurteil über ihn an einem Samstagmorgen beim gemeinsamen Saunabesuch verhängt, vielleicht auch beim Apero im »Rathskeller«, eventuell sogar – und das war die demütigendste aller Möglichkeiten – spätabends unter seinen Augen in einer Ecke der Piano-Bar. Und dann hatten die Sauhunde kindischerweise auch noch abgewartet, bis Harry in die Ferien verreiste; als ob ein Stapel bösartiger Briefe dadurch freundlicher würde, daß er ein paar Wochen ungeöffnet im Briefkasten lag.

Harry junior warf die Rechnungen auf die Hutablage und beschloß, der Sache umgehend auf den Grund zu gehen. Während Nancy mit dem Ausräumen der Koffer begann, schluckerte er in seinen Plastiksandalen durch den herbstlich kühlen Abend, stieß schwungvoll die Tür zum »Rathskeller« auf, steuerte auf den Stammtisch zu und hob die Hand, um bei der Kellnerin eine Runde Bier zu bestellen. Aber die war merkwürdig kurzsichtig an jenem Abend, und am Stammtisch wurden, kaum daß Harry Platz genommen hatte, halbgerauchte Zigaretten ausgedrückt, volle Gläser stehengelassen und Stühle gerückt. Alle standen sie auf, die Sauhunde, und knöpften synchron ihre Jacketts zu: der stellvertretende Direktor der Handelsbank, der Gewerbeverbandspräsident, der Baudirektor, der Steuerregisterführer. Jeder murmelte etwas von höchster Zeit und Promille und Autofahren und morgen auch noch ein Tag und nichts für ungut – und war auch schon verschwunden.

Genaugenommen wußte Harry natürlich, daß es hier nichts gab, dem er hätte auf den Grund gehen können. Keine Verschwörung, keine Intrige, kein Komplott. Man hatte einfach die Geduld mit ihm verloren, das war alles. Nichts Persönliches. Irgendeiner hatte als erster laut ausgesprochen, daß es so nicht weitergehen könne, und dann hatte die Sache ihren Lauf genommen. Harry war verloren, es gab keine Rettung mehr. Im ganzen Städtchen war keiner, der ihm auch nur einen Groschen geliehen hätte, und woanders kannte er niemanden. Den Vater brauchte er gar nicht erst um Geld zu fragen, der hatte seine Ersparnisse längst vor ihm in Sicherheit gebracht in unkündbaren Festgeldanlagen. Und als ob das alles noch nicht schlimm genug gewesen wäre, würden in ein paar Monaten auch noch erhebliche Mehrkosten anfallen für Frau und Kind und Windeln und Alimente und wer weiß was sonst noch alles.

Als Harry junior zurück in die Wohnung kam, war Nancy noch immer mit dem Ausräumen der Koffer beschäftigt; aus der Toilette aber konnte man das Rauschen der Spülung hören.

»Schon wieder gekotzt?« fragte er.

»Hast du vielleicht deine Badehose im Hotel liegenlassen?« Nancy wühlte mit beiden Händen in den Koffern. »Ich kann sie nirgends finden.«

»Schon wieder gekotzt? «

»Denk nach. Hast du sie gestern abend zum Trocknen auf den Balkon gehängt, als wir vom Strand zurückgekommen sind?«

»Verdammte Shrimps, ich sag's ja.«

Nancy drehte sich um und schaute ihn stirnrunzelnd

an. Plötzlich warf sie den Kopf in den Nacken und lachte blechern zur Zimmerdecke hoch. Dann verstummte sie ebenso abrupt und beugte sich wieder über die Koffer.

»Was gibt's? Wieso lachst du?«

»Harry, Harry.«

»Was hast du?«

Nancy schüttelte den Kopf.

»Natürlich hast du was. Machst dir Sorgen, wie? «

Nancy ließ noch einmal ihr blechernes Lachen hören.

»Das sind die Shrimps, wenn ich es doch sage.«

»Aber sicher, Harry!«

»Glaubst mir nicht, was? Willst dir unbedingt ein bißchen Sorgen machen? Na gut. Warte hier. Dummes Weib, du dummes. Bin gleich wieder da.«

Unterwegs zur Notfallapotheke dachte Harry über seine Lage nach. Das einzige, was ihm jetzt helfen konnte, war Geld – oder Zeit. Geld war keins zu kriegen, also mußte er sich Zeit beschaffen. Kurz vor der Apotheke hatte er eine Idee. Er kaufte nicht einen Schwangerschaftstest, sondern zwei. Den einen versteckte er in der Hosentasche, den anderen trug er weithin sichtbar in der Hand.

»Da reinpinkeln«, erklärte er Nancy, als er wieder zu Hause war. »Weißt du, wie's geht?«

Einen Augenblick starrte sie ihn fassungslos an. Dann lachte sie ungläubig, nahm ihm die Packung aus der Hand und verschwand ins Bad. Als sie wiederkam, lag Harry lang ausgestreckt auf dem Sofa, die Hände am Hinterkopf verschränkt.

»Man muß zehn Minuten warten«, sagte sie.

»Ich weiß«, sagte Harry.

Um nicht daran zu denken, daß sie wartete, beschäftigte sich Nancy mit alltäglichen Dingen: Kaffee aufsetzen, das Schlafzimmer lüften, die Ferienkleider in den Wäschekorb werfen. Nach sieben Minuten erhob sich Harry ächzend vom Sofa: »Ich muß mal.«

»Noch drei Minuten, Harry. Kannst du nicht warten?«

»Ich muß aber jetzt. Nicht in drei Minuten.«

»Bitte.«

»Hab dich nicht so. Schämst dich, wie? Ich werde mir dein Wässerchen schon nicht anschauen.«

Er ging ins Bad und schloß sorgfältig die Tür. Er nahm den Becher, der auf dem Badewannenrand stand, leerte dessen Inhalt ins Klosett und warf den Schwangerschaftstest durchs Fenster in den Garten, wo er ihn später sicherstellen würde. Dann nahm er den zweiten Test aus der Hosentasche, stellte ihn behutsam an exakt den Ort, an dem der erste gestanden hatte, und sorgte persönlich dafür, daß der Becher auch diesmal die vorgeschriebene Menge Urin enthielt.

7

Wie um das Testergebnis zu bestätigen, blieb am folgenden Morgen Nancys Übelkeit aus. Zitternd vor ungläu-
biger Erleichterung rief sie nach dem Frühstück im
Hotel Metropol an, wo man ihre Rückkehr lebhaft
begrüßte. Denn die letzten drei Wochen waren eine
schwere Zeit gewesen für die Männer des Städtchens.
Ohne Nancy war die Piano-Bar tot und wurde gar nicht
erst aufgesperrt; ohne die Piano-Bar aber war das
Nachtleben tot und fand schon gar nicht mehr statt;
und ohne Nachtleben war das ganze Städtchen ein bißchen tot. Jetzt aber war Nancy wieder da, und alles war
gut.

Während sie telefonierte, schrieb Harry junior mit
weißer Kalkfarbe und breitem Pinsel »Sommerschlußver-
kauf« auf das Schaufenster seines Bike-Corners. Dann
konnte man ihn sehen, wie er in übersetztem Tempo
durchs Städtchen fuhr und seinen innig geliebten Cherokee Chief dem Gebrauchtwagenhändler zu einem Spott-
preis überließ. Den ganzen Rest des Tages stand er im
Bike-Corner und verscherbelte das Sortiment zu selbst-
mörderischen Preisen. Nach Ladenschluß trug er seine
Schallplattensammlung inklusive Stereoanlage sowie Vi-
deokamera, Computer und Handy aus der Wohnung wie
ein Drogensüchtiger und verkitschte alles im Café Arle-
quino. Kurz vor zehn Uhr abends, nachdem Nancy in die
Piano-Bar aufgebrochen war, stopfte sich Harry die Tageseinnahmen in die Brusttasche und fuhr mit der Bahn

zum Flughafen. Dort bezog er am Automaten soviel Geld, wie seine Karten hergaben, und im Duty-free-Shop deckte er sich mit Zigaretten ein. Kurz nach Mitternacht hob er ab in Richtung Mexico City.

Zweiter Teil

1

Die feuchtheißen Nachmittage verbrachte Harry junior dösend in der Hängematte auf der Veranda seines licht-durchfluteten Pavillons, der abseits des Dorfs auf einer kilometerlangen Düne zwischen schattenspendenden Dattelpalmen stand. In Reichweite seiner rechten Hand stand stets ein wassergefüllter Blecheimer, den seine Zu-gehfrau Conchita mehrmals täglich mit Corona-Bierfla-schen bestückte. An der Decke quietschte der Ventilator, in den Fenstern blähten sich weiße Vorhänge und fielen in sich zusammen, blähten sich auf und fielen zusammen. Und alle paar Sekunden krachte der Pazifische Ozean in haushohen Wellen auf den Strand nieder, daß die Düne in ihrer ganzen Länge erschauerte und im Kühlschrank die Tequilaflaschen klirrten.

Tag und Nacht, Tag und Nacht.

Die dumpfe, seelenlose Brutalität der Elemente hatte Harry junior in den ersten Tagen fasziniert, aber jetzt ging sie ihm auf die Nerven. Mußten diese tropischen Nachtgewitter denn dermaßen heftig sein, daß es zwi-schen zwei Blitzen gar nicht mehr dunkel wurde? Konnte der Donner kein europäisch dumpfes Grollen sein statt dieses tropisch scharfen Stakkatos, das klang wie Artil-leriefeuer? Mußte der Wind die Regentropfen mit solcher Gewalt durchs Fliegenfenster peitschen, daß sie durchs gegenüberliegende Fenster den Raum wieder verließen, ohne den Fußboden naß gemacht zu haben? Und die Ka-kerlaken, die so ekelhaft flink davonwuselten, wenn das

Licht nach dem Stromausfall wieder anging, und die sich als außerirdisch zäh erwiesen, wenn man mal eine unter dem Absatz zermalmt zu haben glaubte ... Harry konnte der tropischen Natur keinerlei Poesie abgewinnen. Er hatte volles Verständnis für die Einheimischen, die ihre Häuser weit hinter der Düne bauten, den Pazifik kaum je zu Gesicht bekamen und um kein Geld der Welt in ihm baden wollten.

Gegen Abend immerhin schlenderte Harry manchmal über den Strand, der jetzt, am Ende der Regenzeit, menschenleer dalag. Wieso sollte er sich nicht den Sonnenuntergang anschauen, wenn er schon mal am Pazifischen Ozean war? Wenn aber durchs orange glitzernde Wasser die schwarzen Silhouetten der Makrelenfischerboote kreuzten, war das für Harrys Geschmack ein bißchen viel. Wenn dann auch noch die Pelikane wie Steine vom Himmel stürzten, zog er mißbilligend die Brauen zusammen. Und wenn die Delphine in immer höheren Bögen aus dem Wasser schnellten und wenn die über den Strand fliehenden Krebse einen so verzweifelt anschauten aus ihren schwarzen Knopfaugen, daß man eine Ahnung bekam von ihrem unstillbaren Kummer, ihrer büßenden Hoffnungslosigkeit über ihre lebenslange Gefangenschaft im eigenen Panzer, ihrer Verdammnis zum ewigen Seitwärtsgehen – dann hatte Harry Widmer junior genug. Dann war es Zeit für den Aperitif.

Am Tag seiner Ankunft hatte er instinktsicher den Ort ausfindig gemacht, an dem die wichtigen Männer des Dorfes verkehrten. Das war Angelitos Billardhalle, im Erdgeschoß eines Eckhauses am Dorfplatz gelegen, eine dunkle und kühle Höhle, in die sich die Männer flüchteten vor dem Geschrei der Kinder, dem Gezeter der Frauen und der grellen Hitze des schattenlosen Tages. Nachts ging es hier hoch her, aber tagsüber war nur das leise Klicken der Billardkugeln zu hören, gelegentlich auch das Fauchen der Kaffeemaschine oder das Rascheln einer Zeitung. Wenn einer einen Kaffee bestellte, so tat er das mit gedämpfter Stimme; und wenn einem Billardspieler die Kugel über die Bande sprang und scharf knallend über die Fliesen hüpfte, so murmelte er eine Entschuldigung. Es war, als ob jeder Rücksicht nähme auf die Kopfschmerzen der anderen.

Schlau bescheiden hatte Harry sich allein an einen Tisch gesetzt und gewartet, bis man ihn ansprach. Dann hatte er einige Runden Bier spendiert und große Heiterkeit geerntet mit seinem ersten Gestotter in spanischer Sprache. Er hatte sich geduldig unterrichten lassen in der hohen Kunst des Billardspiels, hatte sich tapfer die zwölf Tequila und ungezählte Flaschen Bier in den Hals gekippt, die ihm in den folgenden Stunden von überall her in die Hand gedrückt wurden, hatte durchgehalten bis zur seligen allgemeinen Verbrüderung im Morgengrauen, und danach hatte er auch noch den Heimweg geschafft, ohne sich vor jemandes Haustür zu übergeben. Seither war er im Dorf bekannt und geachtet als Haroldo, El Suizo.

2

Selbstverständlich konnte es nicht ausbleiben, daß Harry auch Bekanntschaft mit den jungen Damen des Dorfes machte; denn ein alleinstehender, geselliger und vermögender Gringo hätte sich schon mit Schußwaffen verteidigen müssen, um allein zu bleiben. Harry junior fand es ganz angenehm, daß man gelegentlich eine von ihnen mit nach Hause nehmen konnte. Er hatte den Eindruck, daß man fast jede mitnehmen konnte; aber im voraus herauszufinden, welche nicht zu haben war – das war sehr schwierig. Denn an den Kleidern waren sie ja nicht voneinander zu unterscheiden mit ihren verschossenen Trainingsanzügen und Turnhosen und Bob-Marley-T-Shirts. Die eine lief einem sozusagen hinterher in ihren ausgelatschten Adidas, und man mußte ihr schon mit dem Knüppel drohen, wenn man seine Ruhe haben wollte; die andere schnurrte wie ein Kätzchen, wenn man ihr nur ein paar Pesos zusteckte; wenn man aber der dritten, die genau gleich aussah wie die anderen beiden, bloß ein bißchen Geld anbot, fing die gleich an zu brüllen und rief ihre Brüder herbei, so daß man froh sein mußte, wenn man mit heiler Haut davonkam. Da mochte sich der Teufel auskennen.

Fast in jeder Touristensaison gelang es einer Dorfschönen, einem Gringo derart den Kopf zu verdrehen, daß er sie mitnahm in den Norden. In der Regel kam dann nach ein paar Monaten ein Brief mit einem dicken Stapel

Fotografien, die alle den Gringo und das Mädchen zeigten – vor einem Vorstadt-Bungalow, vor einem ziemlich gut erhaltenen Oldsmobile, am Eingangstor zu Disneyland, auf einem karamelbraunen Kunstledersofa, im Grand Canyon, am Flughafen von Houston, auf der Golden Gate Bridge. Von manchen Mädchen hörte man dann nie wieder etwas; andere stiegen Jahre später an einem schönen Morgen aus dem Nachtbus mit vier oder fünf Reisetaschen, zwei oder drei schlaftrunkenen Kindern und einem fehlenden Schneidezahn.

Die meisten Mädchen aber blieben im Dorf, sparten soviel Geld wie möglich und heirateten irgendwann den Gemüsehändler, den Postboten oder den Busfahrer. Dann hockten sie abends vor ihren Häusern, säugten das Neugeborene über dem schon wieder anschwellenden Bauch, überwachten ihre auf der Straße spielenden Kinder – und würdigten Harry keines Blickes.

Dafür war er dankbar.

Nur eine gab es, die er fürchtete: Das war die alte Juanita, eine zottelige Vettel mit gelbgrauem Haar, das ihr in dünnen Strähnen auf die Schultern und ins Gesicht fiel. Sie war zahnlos wie ein Baby und gespenstisch gekleidet in ausgebleichte und fadenscheinige Röcke, die Mitte des vorigen Jahrhunderts modern gewesen sein mochten. Harry ging ihr nach Kräften aus dem Weg, aber Juanita war unberechenbar. Sie wohnte überall und nirgendwo, gehörte zu niemandem und zu jedermann und konnte jederzeit überall auftauchen. Harry konnte gehen, wohin und wann er wollte: Er war nie sicher vor ihr. Mal saß sie morgens um vier auf der Düne, mal nachmittags um zwei auf dem Dorfplatz, mal abends um sieben vor der Billardhalle (hinein ließ man sie nicht); und wenn sie Harry erblickte, schrie sie mit allem, was ihre spröden Stimmbänder noch hergaben: »Haroldo! Haaaarrrroollldoooo! Haaaroldinnniiiiooo! Gib mir zehntausend Dollar! Liiieebst du mich? Gib Juanita hundert Millionen Dollar, Haroldo! Nimmst du mich mit zu dir? My Corazon, hier bin ich! Hiihiiierr! Haarrrrrooollldoooo!«

3

Es war November, das Ende der Regenzeit nahte; bald
würde das Meer sich beruhigen, die Luftfeuchtigkeit ab-
nehmen, die Temperatur auf ein erträgliches Maß sinken.
Noch war Harry Widmer junior der einzige Fremde im
Dorf. Aber an Thanksgiving würden die Touristen aus
Nordamerika anreisen und ein halbes Jahr lang den
Strand dicht an dicht mit ihren Leibern belegen. Sie wür-
den die letzten flohverseuchten Hotelbetten besetzen, die
Mädchen mit harten Dollars verderben, die Getränkevor-
räte noch der versifftesten Stehbar wegsaufen – und die
Preise in die Höhe treiben. Es war am achtundsiebzigsten
Tag seiner Flucht, als Harry junior sich einer unangeneh-
men, aber unausweichlichen Wahrheit stellte: Wenn er
nicht bald das Biertrinken unterbrach und aus seiner
Hängematte kletterte, würde ihm eher früher als später
das Geld ausgehen.

Als der nachmittägliche Wolkenbruch vorüber war,
machte sich Harry auf den Weg. Er stieg von seiner Düne
hinunter, ging vorbei an der Süßwasserlagune, in der die
Kraniche umherstelzten, und bog ein in die verschlamm-
te Hauptstraße, die zum Dorfplatz führte. Sie war links
und rechts gesäumt von Autowracks, die Kennzeichen
trugen aus Kalifornien, Texas, Nevada und New Mexico.
Generationen von Touristen hatten hier ihre Autos stehengelassen wegen eines versandeten Vergasers, einer zer-
schlissenen Automatik oder eines verlorenen Auspuffs.
Da standen blumenbemalte VW-Busse und Cadillacs und

Chevys und Fords in allen Stadien des Zerfalls; manche sahen noch ganz fahrtüchtig aus, bei manchen fehlten die Räder und ruhten die Achsen auf Ziegelsteinen; manche hatten keine Türen oder Motorhauben mehr, manche waren nur noch ein rostiges Gerippe, und ausnahmslos an jedem Wagen hatten die Kinder sämtliche Scheiben eingeworfen. In der Nachmittagshitze sonderte jedes Wrack seinen eigenen Duft ab, seine unverwechselbare Mischung von Rost, abblätterndem Lack und spröden, moosbewachsenen Gummidichtungen. In den VW-Bussen, wo es am schattigsten und kühlsten war, schliefen die Hunde – verwahrloste Gringo-Hunde, die irgendwann nicht zur Stelle gewesen waren, als Herrchen heimwärts fuhr.

Es war die Stunde, da das Dorf aus der Siesta erwachte; die Ladenbesitzer hoben die Rollgitter hoch, die Frauen hängten Wäsche auf die Leine, die Kinder fläzten auf Hollywoodschaukeln und tranken Cola. Als Harry über den Dorfplatz auf die Billardhalle zuging, winkte ihm der Besitzer schon von weitem zu. Angelito hatte einen Narren an Harry gefressen – wieso, wußte niemand. Er war ein hageres Männchen mit schütterem, grauem Schnurrbart, den fließenden Bewegungen einer Frau und klugen, schwermütigen Augen. Der Mittelpunkt seines Lebens war seine Billardhalle, und der Mittelpunkt der Halle war Angelitos rosa Resopaltisch – sein klappriger Klapptisch, mit dem er den ganzen Tag auf Wanderschaft war; frühmorgens, wenn der Dorfplatz noch im Schatten lag, schob er ihn hinaus an die frische Luft; gegen Mittag, wenn sich die Sonne übers Hausdach schob, trug er ihn zurück ins Haus; am späten Nachmittag, wenn die Strahlen tiefer in die Billardhalle drangen, zog auch Angelito sich mit seinem Tisch ins Innere des Hauses zurück. Und nachts war er dann wieder draußen, unter den Sternen.

Harry holte einen Stuhl und setzte sich zu ihm. Er durfte das, und das war eine Ehre, die seit Menschengedenken keinem Gringo zuteil geworden war. Nicht einmal die Einheimischen setzten sich ungebeten an Angelitos Tisch; noch nicht einmal jene, die schon mit ihm die Schulbank gedrückt hatten.

»Wie geht es dir, Cheffe?« Harry hatte in den letzten drei Monaten ganz ordentlich Spanisch gelernt. Gewisse Redewendungen brachte er schon ohne jeden Akzent über die Lippen.

»Sag nicht Cheffe zu mir, Haroldo. Ich bin dein Freund.« Angelito lächelte traurig unter seinem Schnurrbart hervor, dann streckte er seinen hageren Arm aus und drückte Harrys Schulter. »Wie soll's mir gehen – ich sitze hier, wie du siehst. Jedesmal, wenn du herkommst, sitze ich hier. Du kommst immer gegen Sonnenuntergang. Und jedesmal ist wieder ein Tag des Lebens vorbei.«

»Das ist so«, sagte Harry und nickte schwer. »Jeden Tag geht ein Tag vorbei.«

»Genauso ist es.« Angelito steckte sich einen Zigarillo an. »Das Leben zerrinnt mir zwischen den Fingern, und ich habe nichts getan. Nichts erreicht. Nie richtig geliebt. Nichts gelernt. Kein Bild gemalt, keinen Baum gepflanzt, kein Buch geschrieben. Kenne kaum alle meine Kinder beim Vornamen. Vielleicht sollte ich öfter zur Messe gehen. Gehst du zur Messe, Haroldo?«

»Nein. Ich schlucke Vitamintabletten, wenn ich mich schwach fühle.«

Es war immer dasselbe, Tag für Tag. Jedesmal winkte Angelito Harry junior zu sich an den Tisch, und jedesmal leierte er dieselbe Klage herunter. Vielleicht war das der Grund für seine Zuneigung zu Harry junior: daß dieser ihm immer wieder zuhörte, während die Männer des

Dorfes seiner Litanei seit Jahrzehnten überdrüssig waren. Tatsächlich genoß Harry die ewigen Wiederholungen. Wäre ihm zu Hause im »Rathskeller« einer mit solch weinerlichem Gewäsch gekommen, er hätte ihn hohnlachend zum Schweigen gebracht; aber hier, in Mexiko, klang das tiefsinnig und bedeutsam – allein schon, weil es Spanisch war.

Angelito war der reichste Mann im Dorf. Ihm gehörten nicht nur die Billardhalle und das Hostal schräg gegenüber, sondern auch der Souvenirladen auf dem Dorfplatz, die Kleiderboutique bei der Bushaltestelle sowie der Pavillon, den Harry bewohnte. Jede zweite oder dritte Touristensaison verliebte sich Angelito unsterblich in eine amerikanische Touristin; das war meist eine stille und freundliche, schon nicht mehr ganz junge Lehrerin oder Rechtsanwältin, die allein oder mit einer Freundin angereist war und ziemlich gut spanisch sprach und die nicht zum Tanz ins »Tropicana« ging, sondern Bücher von Thomas Pynchon las. Diese Frauen ließen sich häufig in Angelitos Billardhalle nieder, weil sie hier in Ruhe lesen konnten und nicht von den jungen Männern des Dorfes belästigt wurden. Manchmal setzte sich eine ahnungslos an Angelitos rosa Resopaltisch, wenn er grad an der Bar beschäftigt war; dann machte er sich nicht etwa an die Rückeroberung seines Tisches, sondern blieb hinter dem Tresen stehen, guckte und verliebte sich und überlegte hin und her, ob sie es wert wäre, daß er alles aufgäbe und mit ihr in die USA zöge, sann Tag und Nacht darüber nach, bis der Urlaub der Angebeteten vorbei war und sie abreiste, ohne von Angelitos Seelenqualen das Geringste erfahren zu haben.

Ein paarmal war ihm eingefallen, daß er nichts von der Welt gesehen hatte. Dann war er nach New York oder

Los Angeles geflogen, wo ihm die Beschränktheit seiner dörflichen Existenz so richtig vor Augen geführt wurde, worauf er nach drei oder fünf Tagen noch unglücklicher als zuvor heimgekehrt war und ergeben die hysterischen Szenen seiner Frau über sich hatte ergehen lassen – und das waren nicht hysterische Szenen eines in Tränen aufgelösten Weibchens, sondern Skandalszenen einer leicht reizbaren Fürstin.

Harry junior hatte Angelitos Frau noch nie gesehen. Aber gehört hatte er sie. Schon oft. Sie und Angelito wohnten in den zwei Stockwerken über der Billardhalle, zusammen mit einer unüberblickbaren Schar Kinder aller Altersklassen. Die Kinder wuselten von morgens früh bis abends spät durchs Haus, polterten treppauf und treppab, spielten Verstecken im Keller, Fußball im Flur und Onkel Doktor im Dachstock; nur zur Billardhalle war ihnen der Zutritt verboten. Wenn man sich dem Haus auf weniger als hundert Schritte näherte, hörte man immer Kinder lachen oder brüllen oder weinen; an jedem Fenster konnte alle Augenblicke ein schwarzer Wuschelkopf vorbeiwischen, und wenn man im Näherkommen nicht aufpaßte, konnte einen leicht ein verirrter Ball oder Stein oder Teddybär treffen. Ein Fremder mochte den Eindruck bekommen, daß die Kinderschar völlig verwildert war und ohne jede Aufsicht heranwuchs. Aber das Gegenteil war der Fall. Denn tief im Innern des Hauses hockte wie eine Ameisenkönigin die Mutter, Angelitos Ehefrau, die alle Hausbewohner auf mysteriöse Weise lenkte. Die großen Mädchen waren ihre Arbeiterinnen; die kochten und putzten, buken und wuschen, paßten auf die Kleinen auf und erledigten Botengänge. Die Buben waren die Soldaten; sie bewachten das Haus und bespitzelten einander. Und Angelito war einfach ihr Mann. Die Ameisenkönigin verließ nie ihren Kommandoraum, aber sie war stets über alles im Bilde. Wenn einer ihrer älteren Söhne heimlich im Keller rauchte oder wenn Angelito sich schon am Mittag den ersten Schnaps gönnte oder einer Gringa schöne Augen machte, erhob sich orkanartig die Stimme der Matriarchin, daß die Fensterscheiben zitterten und die Eidechsen an der Hausfassade in der nächsten Mauerritze verschwanden.

»Wie geht's zu Hause?« flüsterte Harry und deutete mit dem Zeigefinger zur Decke.

»Wie soll's gehen … heute hat sie mich einen Blödmann genannt.«

»Wie?«

»Einen Blödmann.«

»Wie?«

»Einen Blödmann. Herrgottnochmal.«

»Wie schreibt man das?«

Angelito buchstabierte, dann schwiegen sie lange.

»Ach, übrigens, Haroldo …« Angelito nahm seinen Zigarillo aus dem Mund und betrachtete dessen feuchtes Ende, als ob ihn davor plötzlich sehr ekeln würde. »Könntest du bis Montag früh den Pavillon räumen?«

»Wie? Nein. Wieso?«

»Ich sag's ungern, aber der Preis … er verdreifacht sich am Wochenende.«

»Verdreifacht?« Jetzt war es an Harry, eine angewiderte Grimasse zu schneiden.

»Verzeih nur, Haroldo, ich bin ein Schwein, ein blutsaugender Vampir, ich weiß. Aber versteh mich bitte. Nächste Woche beginnt die Saison, da kommen die Gringos, und meine Frau …«

»Ich bitte dich, Angel, natürlich verstehe ich dich!«

Harry junior hob abwehrend beide Hände. »Laß uns nicht über Geld reden. Das ist langweilig und gehört sich nicht unter Freunden.«

»Nimm's mir nicht krumm, Amigo, aber ich muß ...«

»Laß es bitte gut sein. Ich behalte den Pavillon, und du kriegst dein Geld, und Schluß. Kein Wort mehr. Einverstanden?«

»Einverstanden!« Angelitos Gesicht legte sich glückstrahlend in tausend kleine Falten. »Du bist ein Mann, Haroldo! Mit dir kann man reden!«

»Ich bitte dich. Wollen wir eine kleine Partie spielen? Nur ganz kurz? Um hundert Pesos?«

4

Nach dem Spiel hatte Harry alle unangenehmen Gedanken um Geld und Gringos vergessen und war guter Hoffnung, den Abend entlang seiner liebgewonnenen Routine gestalten zu können; ein Bierchen oder zwei an Rosalitas Stehbar, dann eine Tortilla bei Jesus, zum Verdauen nochmal Billard bei Angelito, dann rüber ins »Tropicana« zum Tequilasaufen und Tanzen und dann heim mit einem Mädchen, das nicht gleich böse wurde, wenn man ihm ein paar Pesos schenkte.

Aber an jenem Abend wurde er enttäuscht. Auf Schritt und Tritt kündigte sich die Saison an, und zwar mit Unannehmlichkeiten. Rosalita stellte ihm wohl sein Corona auf den Tresen, wollte sich aber partout keinen Drink offerieren lassen, sondern war sehr damit beschäftigt, mit einem breiten Pinsel die Wände ihres Lokals speckig rosa zu streichen. Bei Jesus versperrte ein Eisengitter den Eingang, und zwischen den Gitterstäben hindurch konnte man sehen, daß die Küche kalt war und die Barhocker mit den Beinen nach oben auf dem Tresen standen. Das sonst stets herrlich schummerige »Tropicana« war taghell ausgeleuchtet, Tische und Stühle waren zur Seite geräumt, und ein halbes Dutzend Frauen rutschte mit Lappen, Besen und Wassereimern auf dem Boden umher.

In seiner Not kehrte Harry junior zurück zur Billardhalle – aber jetzt standen auch dort über Kreuz zwei Besen zwischen den Türpfosten, und Angelito war weit und breit nicht zu sehen. Auf der Treppe saß ein sehr würdevoller junger Herr von vielleicht fünf Jahren in einem makellos weißen Hemd und kurzer, dunkelblauer Hose. Das war Angelitos jüngster Sohn, vielleicht auch der zweit- oder drittjüngste, Harry wußte es nicht. Der Kleine stützte die Ellbogen auf den Knien auf und hielt sich beide Zeigefinger waagrecht unter die Nase wie einen Schnurrbart. Er würdigte Harry keines Blickes.

»Ola, Gonzalito. Ist dein Vater da?«

»Ich bin nicht Gonzalito.«

»Entschuldige. Ist dein Vater da?«

»Mein Name ist José.«

»José. Ist dein Vater da?«

»Ich kann ihn nicht sehen.«

»Weißt du, wann er wiederkommt?«

»Ich möchte jetzt nicht reden.«

José sprach in trägem und gelangweiltem Ton, sein Blick verlor sich irgendwo in der Ferne, und jetzt schob er auch noch die rechte Schulter ein wenig vor, dann noch ein Stück und noch ein Stück, bis er Harry ganz den Rücken zuwandte. Harry nickte anerkennend; der Kleine hatte eine ausgesprochen deutliche und selbstbewußte Art, seine Abneigung kundzutun. Andererseits hatte Harry nicht die leiseste Ahnung, womit er so viel Geringschätzung verdient haben mochte. Wie die meisten Menschen empfand er es als schwere Niederlage, wenn ihm ein Kind, ein Hund oder eine Katze mit Antipathie begegnete; das war ein Makel, ein untrügliches Indiz für gravierende Mängel an der eigenen Seele. So konnte er die Sache nicht auf sich bewenden lassen. Er sagte: »Darf ich?« und setzte sich neben José auf die Treppe. Dieser verzog das Gesicht, als ob ihm eine Fliege ins Ohr geflogen wäre, und rückte einen halben Meter zur Seite.

Im Treppengeländer steckte seit Wochen zusammengerollt eine alte Ausgabe von Newsweek, schon ganz ausgebleicht von der Sonne und gewellt nach zahllosen Regenschauern. Harry zog das Heft heraus, stellte fest, daß die einzelnen Seiten zwar steif und spröde, aber nicht miteinander verklebt waren, und fing an zu blättern. Die weltweiten Erdölreserven reichen höchstens noch für dreiundzwanzig Jahre. Der Papst denkt nicht an Rücktritt. In Finnland wird mehr Tango gespielt als in Argentinien. Amalgam-Zahnfüllungen sind besser als ihr Ruf. Ein ziemlich großer Komet rast ziemlich schnell auf die Erde zu, wird sie aber ziemlich sicher nicht treffen. Falls doch, schicken wir ihm eine Atombombe entgegen. In der Tiefsee leben vermutlich Riesenkraken, die so groß sind wie Fußballfelder.

Der kleine José hatte das Heft nie beachtet, solange es zusammengerollt zwischen den Geländerpfosten gesteckt hatte. Aber nun, da die bunten Bilder in seinem Augenwinkel aufleuchteten, hielt er die Pose des Ignorierens nicht mehr durch. »Was machst du da?« fragte er und deutete mit dem Kinn auf das Heft.

»Ich lese.«

»Das findest du gut?«

»Es geht. Und du?«

»Ich lese nur abends. Comics. Vor dem Einschlafen.«

Harry streckte ihm das Heft hin. »Hier drin hat's auch Bilder. Magst du?«

»Nein. Sonst schlafe ich ein.«

In diesem Augenblick fluchte jemand in der Tiefe der Billardhalle. Es war unverkennbar Angelitos Stimme. Harry junior warf José einen vorwurfsvollen Blick zu. »Du hast mir doch gesagt ...«

»... daß ich ihn nicht sehen kann. Und ich habe auch

gesagt, daß ich nicht reden möchte!« Der kleine Philosoph tippte mit dem Zeigefinger an eine imaginäre Hutkrempe, schnellte hoch und lief auf die Straße hinaus. Harry junior stand auf, beugte sich über die gekreuzten Besen und wartete, bis sich seine Augen ans Dunkel gewöhnt hatten. Angelito lag lang ausgestreckt auf dem Snookertisch in der Mitte der Halle. Er hatte das alte Filztuch entfernt und war dabei, ein neues aufzuspannen.

»Angelito! Was sollen die Besen! Muß ich erst den Dorfplatz kehren, bevor du mich reinläßt?«

»Geh woanders hin, Haroldo. Es ist niemand da, das siehst du doch.«

»Du bist doch da!«

»Ich habe geschlossen.«

»Du hast nie geschlossen.«

»Renovierungsarbeiten. Ich muß meine Tische instand setzen, sonst wollen die Gringos nicht drauf spielen.«

»Die Gringos, die Gringos ...«

»Die sind heikel, Haroldo. Verwöhnt.«

»Wie wär's mit einer kleinen Partie? Nur wir beide? Am hintersten Tisch, mit dem du schon fertig bist?«

»Keine Zeit. Laß mich arbeiten, ja?«

Jetzt war Harry klar, daß an jenem Abend kein Nachtleben stattfinden würde. Beleidigt ging er hinunter zum Ozean; dann würde er sich eben wieder einmal den Sonnenuntergang anschauen. Aber was war das? Sogar das Meer schien sich auf den Einmarsch der Gringos eingestellt zu haben. Es tobte und brüllte nicht mehr, sondern plätscherte handzahm, familientauglich und sicherheitskonform über den Sand, als ob es Schadenersatzklagen vor US-amerikanischen Gerichten fürchtete. Harry junior war empört. Bestimmt würden aus Rücksicht auf die Gringos nächstens auch die Gewitter ausbleiben, und die

Moskitos würden sich vorübergehend mit pflanzlicher Nahrung begnügen.

Harry kletterte die Düne hoch, setzte sich in den Sand und überblickte den Strand, der sich sichelförmig vom einen Ende der Bucht zum anderen zog. Aber halt: Diese Kinder – was taten die da? Sammelten Kokosnüsse ein! Zu Tausenden waren die Kokosnüsse beim letzten Hurrikan an Land gespült worden, hatten seither schwarz im weißen Sand gelegen wie abgeschlagene Menschenköpfe und hatten keinen gestört; aber jetzt, da sie den Klappstühlen der Gringos hinderlich sein konnten, mußten sie weg. Die Kinder stapelten die Kokosnüsse zu großen Haufen, übergossen sie nahe der Wasserlinie mit Petrol und tanzten im Kreis um die Flammen, die hell gegen den Abendhimmel züngelten.

Harry junior betrachtete das Schauspiel, blies seinen Kaugummi zu einer Blase auf und spuckte ihn aus. Alle hier im Dorf taten etwas. Alle unternahmen etwas und verdienten Geld. Alle außer ihm. Plötzlich stand er auf, wischte sich den Sand von der Hose und ging zielstrebig zurück ins Dorf. Er hatte eine Idee. Na, eine Idee nicht gerade, aber immerhin.

»Ola, Angelito!« rief er in die Billardhalle hinein.

»Nein, Haroldo, kein Spiel! Ich muß arbeiten!«

»Ich auch, Angel.«

»Du?«

»Laß uns Platz nehmen, Amigo. Wir müssen reden. Über Geschäfte.«

»Wir?«

»Nicht im Freien. Besser drin, wo wir ungestört sind. Ich hole uns zwei Corona, ja?«

Harry Widmer junior stieg über die gekreuzten Besen, nahm zwei Flaschen aus dem Kühlschrank und verschwand mit Angelito in der Tiefe des Saals. So konnte niemand sehen, wie die beiden die Köpfe zusammensteckten; wie Harry junior gestikulierte und große, runde Augen machte und etwas abzählte an den fünf Fingern seiner linken Hand; wie Angelito erst sich zurücklehnte und das Kinn auf die Brust drückte, sich später aber tief über das Blatt Papier beugte, das Harry mit Ziffern vollkritzelte; und es war auch niemand dabei, als die beiden schließlich mit den Bierflaschen anstießen und einander lange die Hand schüttelten.

Am nächsten Morgen in aller Frühe konnte das ganze Dorf beobachten, wie Harry junior vor der Billardhalle in Angelitos Mitsubishi Pick-up stieg, den Motor startete und zur Asphaltstraße hinausfuhr, die in tausend Kehren hinauf ins Hochland zur Provinzhauptstadt Guadalajara führte. Unsichtbar in seiner Brusttasche steckte ein dickes Bündel speckiger Banknoten, das er Angelito vielleicht irgendwann zurückerstatten würde.

Am Mittag des nächsten Tages war er wieder da. Auf der Ladebrücke des Pick-ups festgezurrt lagen fünfundzwanzig fabrikneue Surfbretter, fünf Yamaha-Waverunner sowie allerhand Baumaterial. Harry junior machte sich sofort ans Werk. Neben seinem Pavillon auf der Düne errichtete er einen zehn Meter langen und fünf Meter breiten Unterstand. Aufs Wellblechdach kam eine schicke Leuchtschrift, und bei Einbruch der Dunkelheit blinkte rot HAROLDO'S CRAZY SURF-CORNER über den Strand.

5

Zwei Tage später fielen im Dorf die Gringos ein wie die Heuschrecken. Für Harry Widmer junior begann das Geschäftsleben. An Thanksgiving waren seine Surfbretter und Waverunner erstmals ausgebucht. Mit den Einkünften der ersten Woche und einem zusätzlichen Kredit von Angelito fuhr er ein zweites Mal nach Guadalajara, um seinen Bestand an Wassersportgeräten zu verdoppeln. Weiter deckte er sich ein mit mehreren tausend Flaschen Sonnencreme, einigen Dutzend Neoprenanzügen, Taucherbrillen, Schnorcheln, Schwimmflossen sowie einem überlebensgroßen und naturnah kolorierten Haifischkopf aus Fiberglas, den er auf dem Wellblechdach über der Leuchtschrift befestigte. Die Haifischaugen leuchteten phosphorgrün, und das Maul schnappte elektrisch betrieben auf und zu, auf und zu.

Selbstverständlich dachte Harry Widmer junior keinen Augenblick daran, seine Tage unter dem Wellblechdach mit dem Ausmieten und Instandhalten der Geräte zu verbringen. Für die Arbeit engagierte er zwei von Angelitos Neffen, die sich als anstellige Burschen erwiesen und ihm jeden Abend den Tagesumsatz im Pavillon ablieferten, abzüglich ihres Tageslohns und einer vernünftigen Diebespauschale.

Harry hatte keine finanziellen Sorgen mehr. Eigentlich hätte er glücklich sein können. Aber leider waren die Dollars nicht allein ins Dorf gekommen, sondern in Begleitung ihrer Besitzer. Die Gringos waren überall. Überall türmten sich diese bleichen, mächtigen Menschen mit ihren rindfleischgemästeten Schultern – in jeder Bar, in jeder Kneipe, beim Gemüse- oder Tabakhändler, sogar beim Zahnarzt, auf der Polizeistation und in der Ultraschall-Klinik. Überall standen sie umher und füllten die Räume, obwohl sie sich verzweifelt klein und bescheiden machten, und alle stammelten sie spanische Wörter und lächelten das unglückliche Lächeln des Eroberers, der sich ungeliebt weiß. Die Hotels und Pensionen waren bis aufs letzte Bett ausgebucht, alle verfügbaren Privatzimmer vermietet. Die zu spät Gekommenen hatten sogar die Hunde aus den VW-Bussen verscheucht, um ihre Schlafsäcke auf den Hinterbänken auszurollen. Ganze Familien hatten sich darin wohnlich eingerichtet, kochten in den Fahrerkabinen Reis auf kleinen Gaskochern, stellten nachts Kerzen auf und verhängten die Fenster mit ihren Badetüchern.

Die VW-Busse, den Strand und das Dorf hätte Harry den Gringos leichten Herzens überlassen – wenn sie sich nur von der Billardhalle ferngehalten hätten. Aber auch dort war ständig eine Kompanie vor Ort, die alle Tische besetzt hielt, und zwar zu jeder Tages- und Nachtzeit. Angesichts dieser erdrückenden Übermacht blieben die Männer des Dorfes zu Hause. Selbst Angelito zog sich von seinem rosa Resopaltisch zurück und verbarrikadierte sich geschäftig hinter dem Tresen.

Für Harry Widmer junior begann eine schwere Zeit. Zu Beginn der Saison suchte er noch gelegentlich Trost beim einen oder anderen Mädchen. Aber auch die waren nicht wiederzuerkennen. Sie trugen jetzt nicht mehr Fußball-Shirts und Adidas-Latschen ohne Schnürsenkel, sondern glitzernde Paillettenkleider, hochhackige Schuhe und millimeterdick Schminke. Wenn man ihnen ein Glas offerierte, so gaben sie sich nicht mehr zufrieden mit Bier, sondern bestanden auf teuren, neonfarbenen Drinks. Und die freundliche Schläfrigkeit, die Harry so an ihnen gemocht hatte, war gänzlich von ihnen abgefallen. Jetzt lachten sie schrill und sprachen zu laut, und im »Tropicana« tanzten sie, daß man sich für sie schämen mußte. Harry beobachtete, wie sich die Mädchen den Gringos auf den Schoß setzten, wie sie sich von ihnen kneifen ließen und wie sie mit einem verschwanden, um eine halbe Stunde später wieder aufzutauchen und sich dem nächsten auf den Schoß zu setzen; und wie sich das Mal um Mal wiederholte, solange die Nacht dauerte.

So hatte Harry die Sache noch nie betrachtet. Für sein Empfinden hatten die Mädchen ihn stets aus Freundlichkeit nach Hause begleitet, und aus Freundlichkeit hatte er ihnen ein paar Scheine geschenkt. Aber das hier – das war nichts für ihn. Er fand das erstens unhygienisch, zweitens freudlos, und drittens – unschön.

So kam es, daß Harry Widmer junior seine Abende alleine auf der Veranda seines Pavillons verbrachte. Er trank und rauchte und schaute durchs Moskitogitter hinaus auf den spiegelglatten Ozean, auf den der Mond eine silberne Spur zeichnete. Wenn ihm fad wurde, zählte er seine Tageseinnahmen und führte die Buchhaltung nach, und dabei stellte er fest, daß er ununterbrochen schwarze Zahlen schrieb, zum ersten Mal in seinem Leben.

6

An Pfingstmontag war der Spuk zu Ende. In aller Frühe strömten die Gringos in die bereitstehenden Busse, die sie zu den umliegenden Flughäfen bringen würden. Sie verstauten ihre bunten Rucksäcke, die groß waren wie Kühlschränke, ließen letzte Blicke gleiten über den Dorfplatz und die Kneipen und die Billardhalle – und hatten es dann plötzlich sehr eilig, einzusteigen und loszufahren. Am Mittag waren sie alle weg. Samt und sonders.

Im Dorf hielt wieder gemächlicher Alltag Einzug. Die Mädchen hängten seufzend ihre Paillettenkleider in den Schrank, nahmen T-Shirts und Turnschuhe hervor und dachten neidisch an jene eine Glückliche, die diesmal in den Bus hatte einsteigen dürfen an der Hand eines Gringos. Kurz nach Mittag wagten die ersten Männer einen Gang zu Angelitos Billardhalle und warfen unterwegs mißtrauische Blicke nach links und rechts. Die Hunde machten sich vorsichtig an die Rückeroberung der VW-Busse, die nach der Saison immer so streng nach Mensch rochen. Der azurblaue Dodge Challenger aber, den dieses Jahr ein doppelblondes Surferpaar aus Kalifornien mit Getriebeschaden zurückgelassen hatte, war noch abgeschlossen und unzugänglich; da würden die Hunde warten müssen, bis die Kinder mit ihren Steinschleudern die Scheiben eingeworfen hatten. Ein schwarzweißer Spaniel wagte sich immerhin schon vor und versah alle vier Räder mit seiner Duftmarke.

Auch Harry Widmer junior war froh, daß die Gringos

weg waren. Er lag in seiner Hängematte, nippte an einer Flasche Corona und schaute hinaus aufs Meer. Bildete er es sich nur ein, oder ging die Brandung schon höher? Und hatten nicht vorhin die Tequilaflaschen im Kühlschrank geklirrt? Harry erschlug einen Moskito auf seinem Unterarm und wischte sich den Schweiß von der Stirn. Im Westen zogen schwarze Wolken auf, der Strand lag verlassen da. Einsam und allein stand HAROLDO'S CRAZY SURF-CORNER auf der Düne; die zwei kühn geschwungenen S der Leuchtschrift flackerten schon altersschwach, und der Haifischkopf aus Fiberglas hatte Flechten angesetzt und quietschte in den Kiefergelenken.

Harry junior dachte daran, daß er das alles würde in Sicherheit bringen müssen vor dem ersten Hurrikan – den Haifischkopf und die Leuchtschrift, die Waverunner und die Surfbretter, die Sonnencreme und die Badehosen, das Wellblechdach und das Gebälk und die Bambusmatten und die Klappstühle. Ein wetterfestes Depot aus Beton und Backstein würde er bauen lassen, weitab von der Düne in sicherer Entfernung vom Meer – oder nein: Er würde es selbst bauen. Eigenhändig. Ganz allein. Dann würde ihm nicht langweilig werden während der flauen sechs Monate. Und wenn er schon dabei war, würde er über dem Depot eine zweite Etage anlegen mit einer Bar und fünf oder sechs Gästezimmern, und das Ganze würde er HOTEL CALIFORNIA taufen, und die Leuchtschrift würde im selben Rot blinken wie HAROLDO'S CRAZY SURF-CORNER.

An Thanksgiving war er mit allem fertig. Am Morgen, an dem die Busse mit den Gringos eintrafen, hängte Harry im HOTEL CALIFORNIA noch rasch ein paar Fischernetze an die Decke, stellte in jede Ecke eine Amphore und befestigte gekreuzte Harpunen an den Wänden. Als die ersten Gäste kamen, dampfte der Kaffee auf dem Tresen, und die Cornflakes-Schalen standen bereit. Oben auf der Düne wartete der Surf-Corner; der Haifischkopf war frei von Flechten, und sein Maul schnappte frisch geölt auf und zu, auf und zu.

7

Sechs Monate später endete pünktlich zu Pfingsten auch
diese Saison. Die anschließende Flaute wurde abgelöst von
der nächsten Saison und diese wiederum von einer Flaute,
worauf erneut eine Saison folgte und noch eine Flaute, und
ehe Harry Widmer junior es sich versah, waren fünf Jahre
vergangen. Er war tief gebräunt wie ein Einheimischer,
obwohl er wie sie die Sonne mied; er bewegte sich mit
tropisch kraftsparender Ökonomie, hatte um die Hüften
einigen Speck angesetzt und sprach so akzentfrei Mexi-
kanisch, wie nur ein Geck es lernen kann. Schon in der
zweiten Saison hatten ihn die Gringos für einen Mexikaner gehalten, und Harry hatte nichts unternommen, diesen Irrtum zu beheben. Übrigens war er jetzt einer der
reichsten Männer im Dorf. Nicht, daß er seine Schulden
bei Angelito beglichen hätte. Aber das Geld hatte er be-
reitgelegt, fein säuberlich abgezählt, in eine Plastiktüte
verpackt und versteckt im Spülkasten der Toilette. Angelito würde sein Geld schon bekommen, bar auf die Hand
und in Sekundenschnelle. Er brauchte nur zu fragen.

An zu Hause dachte er nicht mehr oft. Die sonderbaren
Sehnsüchte anderer Auswanderer waren ihm fremd; er
empfand keine Gier nach frischer Milch oder Schwarz-
brot oder Schweizer Schokolade, und er vermißte weder den Schnee noch den Concours Eurovision noch die
Stimmen von Schuhverkäuferinnen, die auf deutsch
»Was kann ich für Sie tun?« sagten. Eines aber hatte ihm

vom ersten Tag an gefehlt: Das war die tägliche Zeitung beim Frühstück. Einheimische Blätter gab es nicht, und auswärtige konnte man nicht kaufen. Nach einigen Wochen hatte er es nicht mehr ausgehalten und das Tagblatt seines Heimatstädtchens abonniert – diskreterweise auf den Namen seines Freundes Angelito. Jeden Morgen stand Harry nun auf dem Dorfplatz, wenn die Zeitung nach einwöchiger Reise mit dem Nachtbus eintraf; dann setzte er sich in eines seiner Stammcafés und brachte sich auf den neuesten Stand betreffend die Eishockeyresultate, die Heizölpreise sowie Eheschließungen, Geburten & Todesfälle. Besonders viel Vergnügen bereitete es ihm, die Machenschaften der Sauhunde zu verfolgen. Für einen ahnungslosen Leser wären die kleinen, unscheinbaren Meldungen vielleicht nichts weiter gewesen als harmlose Nachrichten aus dem ereignisarmen Leben eines unbedeutenden Provinzstädtchens, kolportiert von einem sklavisch obrigkeitshörigen Lokalblatt; in Harry Widmer juniors Augen aber fügten sie sich zusammen zu Possen und Dramen, Schwänken und Tragödien, alle miteinander verwoben und kapitelweise weitererzählt über Wochen, Monate und Jahre hinweg. Wenn beispielsweise in einem Leserbrief ein Herr B.W. haltlosen Gerüchten entgegentrat, wonach die vor dreißig Jahren stillgelegte Seifenfabrik konkursamtlich versteigert worden sei, ohne daß zuvor eine öffentliche Ausschreibung erfolgte – wenn Harry so etwas las, merkte er auf. Denn er wußte, daß die Villa des Leserbriefschreibers B.W. neben jener des Baulöwen R.R. stand und daß die beiden am Karneval Zunftbrüder waren und Taufpaten der jeweiligen Erstgeborenen. Wenn dann drei Wochen später der Lokalreporter Z.K. – von dem man wissen mußte, daß er nebenbei Kassier des Eishockeyklubs war und

Mitglied der Schulkommission sowie Schwager des Baulöwen R.R. und Neffe des Handelsbankdirektors E.W. –, wenn also dieser Lokalreporter drei Wochen später eine Reportage veröffentlichte über die unhaltbaren Zustände an der aus allen Nähten platzenden Gewerbeschule, so ahnte Harry junior im fernen Mexiko, daß ein Neubau bevorstand. Als nächstes würde beispielsweise Architekt X.Y. den großen Kulturpreis der Stadt erhalten wegen herausragender Verdienste um Schulhausneubauten in, sagen wir, Kasachstan. In der Woche darauf würde der Stadtpräsident in seiner Begrüßungsansprache zur Jahresversammlung der Schützengesellschaft unterstreichen, daß die wirtschaftliche Zukunft der Region nicht länger in der Industrie liege, sondern in der Informations- und Bildungsgesellschaft. Darauf konnte es geschehen, daß ein kleiner Störfall eintrat – beispielsweise, daß der Staat die alte Seifenfabrik als Industriedenkmal unter Schutz stellte. In so einem Fall war es dann wahrscheinlich, daß eine kleine Serie von (in der Folge nie aufgeklärten) Brandstiftungen stattfand, der leider auch die Seifenfabrik zum Opfer fiel, und dann würde schon bald eine parlamentarische Kommission eingesetzt werden, die sich nach einem geeigneten Standort für die neue Gewerbeschule umsah. Als optimales Areal würde sich selbstredend die alte Seifenfabrik aufdrängen; man würde handelseinig werden mit der Eigentümerin des Areals, einer bis anhin unbekannten Investorengemeinschaft, die beispielsweise Intranscomtech GmbH hieß und ihren Firmensitz in Belutschistan hatte. Über den Kaufpreis würde man Stillschweigen vereinbaren, und gewisse Dinge würden aus Gründen des Daten- und Persönlichkeitsschutzes nicht in der Zeitung stehen; beispielsweise, daß unter den Teilhabern der Intranscomtech zu ungleichen Teilen der Architekt X. Y., der Stadtpräsident, der Baulöwe R. R. und der Handelsbankdirektor E. W. figurierten und daß sogar der Lokalreporter Z. K. ein Anteilscheinchen hatte zeichnen dürfen. Ausgiebig berichtet werden würde hinwiederum ein paar Jahre später über den Baubeginn, und der Artikel würde illustriert sein mit einem vom Lokalreporter Z. K. geschossenen Foto, auf dem der Architekt X. Y., der Stadtpräsident, der Baulöwe R. R. und der Handelsbankdirektor E. W. der Größe nach aufgereiht ihre Zähne zeigten und mit je einem Spaten ins zuvor maschinell aufgelockerte Erdreich stießen. Die Geschichte würde ihren vorläufigen Abschluß finden mit der Meldung, daß die Stadtregierung sich als Rektor der neuen Gewerbeschule – aus Gründen der Interdisziplinarität – einen Quereinsteiger wünschte und daß sich in der Person des Lokalreporters Z. K. ein hochqualifizierter Mann zur Verfügung gestellt habe. Nach der feierlichen Einweihung würde es dann ein paar Jahre ruhig werden um die Gewerbeschule, bis eines Winters – zwei Wochen nach Ablauf der Garantiefristen – die ersten nicht zu übersehenden baulichen Mängel festgestellt würden: lecke Flachdächer, undichte Fenster, bröckelnde Fassaden, krebsfördernder Innenabrieb. Eine Untersuchung würde ergeben, daß unerklärlicherweise beim Bau nicht die kostspieligen und zuverlässigen Materialien verwendet worden waren, die man der Stadt in Rechnung gestellt hatte, sondern halt eben billiges Zeug. Wo aber das eingesparte Geld verblieben war, würde nicht mehr zu klären sein; eine vorsätzliche Schädigungsabsicht immerhin würde man keinem Beteiligten unterstellen können, nachweisen schon gar nicht – und grob fahrlässige Blödheit, darauf hatten die Vorfahren der Sauhunde bei der Gesetzgebung vorausschauend geachtet, war halt nicht strafbar. Womit die Angelegenheit eigentlich erledigt sein würde. Unglücklicherweise würde aber ausgerechnet zu jener Zeit die Wahl des Gemeindeparlaments anstehen und die Grüne Liste ein Wahlkampfthema brauchen, so daß sich das Amtsgericht mit der Affäre befassen müßte. Dieses würde zum Schluß kommen, daß die Beschuldigten in guten Treuen hätten davon ausgehen können, daß das billige Zeug nicht billiges Zeug, sondern qualitativ hochstehende Ware sei. Und wenn wegen der Rezession in der Baubranche überraschende Rabatte gewährt würden, so sei das für die Beschuldigten zwar erfreulich, aber nicht strafbar. Gegen dieses Urteil würde im übrigen niemand appellieren; denn die Wahlen würden unterdessen stattgefunden und den Grünen eine vernichtende Niederlage beschert haben, worauf diese sich auf ihr Kerngeschäft, das Kompostieren von Küchenabfällen, zurückziehen würden. Und so weiter.

Geschichten wie diese hatte Harry Widmer junior mit Wollust verfolgt, gejauchzt hatte er bei jeder Fortsetzung und gewinselt, in die Hände geklatscht und mit der flachen Hand auf die Zeitung geschlagen, und gehadert hatte er mit der Ungerechtigkeit der Welt, die ihn, Harry Widmer junior, ins Exil schickte, nur weil ihm ein paar Zahlungsbefehle unters Eis geraten waren, während gleichzeitig die großen Sauhunde ... mit der Zeit aber war er es leid geworden. Es war doch immer das gleiche. Und aus zehntausend Kilometern Entfernung betrachtet waren seine Feinde gar keine wirklich großen Sauhunde, sondern einfach nur Sauhunde, die sich halt so irgendwie durchs Leben wurstelten. Natürlich waren sie raffgierige Gauner – aber wie lebten sie denn? Saßen tagsüber in ihren muffigen Büros und tranken Automatenkaffee, stritten abends mit ihren fitneßwütigen Gattinnen und haschisch-rauchenden Söhnen, und nachts zwickten die Hämor-rhoiden und die Raten für die Jacht auf dem Bodensee.

Die tägliche Zeitungslektüre begann Harry junior zu langweilen; immer öfter spielte er mit dem Gedanken, das Ritual zu beenden und das Abonnement zu kündigen. Aber dann entdeckte er an einem besonders schwülen Tag folgende Todesanzeige:

Heute früh ist im Seniorenheim »Alpenblick«
nach einem langen Leben voller Arbeit und
Pflichterfüllung
still, friedlich und bei bester Gesundheit
verstorben

Harry Widmer senior
Fahrradmechaniker
Wir werden ihm stets ein ehrendes Andenken
bewahren.

Die Trauernden:
Rüdiger Kallweit, Stadtschreiber
Erwin Waldvogel-Randeisen,
Direktor Städtische Handelsbank
Remo Zumstein-Zwipf,
Handels- und Gewerbeverein
Manfred Wertheim,
Zweiradgenossenschaft »Merkur«
Rudi Tollkirsch-Wiesenschreck,
Arbeiterturn- und Sportverein
Magdalena Haberthür-Haberthür,
Stiftung »Alpenblick«
Peter Müller, Kommandant Stadtpolizei

Harry junior telefonierte nie in die Heimat und schrieb auch keine Briefe – erstens, weil er seine neue Anschrift den Sauhunden nicht verraten wollte, und zweitens, weil ihm niemand eingefallen wäre, mit dem er hätte reden wollen. Gewiß, da war Nancy, die ihm auch nach Monaten und Jahren nicht aus dem Sinn gegangen war; und da war das Kind, das jetzt wohl schon in den Kindergarten ging. Aber was hätte er denn sagen sollen, mit dem Hörer am Ohr und einem Haufen Kleingeld in der Hand? Sich nach dem Befinden erkundigen? Nachfragen, ob es ein Bub war oder ein Mädchen?

Verwundert beobachtete Harry an sich selbst, daß kein Tag verging, an dem er nicht an Nancy dachte. Beispielsweise erinnerte er sich lebhaft ihrer allerersten gemeinsamen Ausfahrt im Cherokee Chief, bei der es nach seiner Berechnung gleich zur Zeugung gekommen sein mußte. Mitten im Wald hatte er absichtlich plump eine Benzinpanne vorgetäuscht, worüber Nancy sehr gelacht hatte, und er hatte den Wagen ausrollen lassen auf einem seitlich abgehenden Schotterweg, der sich nach wenigen Metern im Dickicht verlor. Am achten August war das gewesen, und zwar um acht Uhr abends. Harry wußte das, weil ihm vom Rücksitz aus auf der digitalen Uhr des Armaturenbretts diese hübsche Reihe von Nullen und Achten aufgefallen war; er erinnerte sich sogar, daß er den Moment hatte abwarten wollen, da auch bei der Minutenanzeige die Acht aufleuchtete. Da Nancy und er in jenem unwiederbringlichen Augenblick aber sehr beschäftigt gewesen waren, hatte seine Aufmerksamkeit vorübergehend etwas nachgelassen, so daß ihm das 08-08-08-08 durch die Lappen ging.

Manchmal wunderte sich Harry, daß er kein Heimweh empfand. Er, der sich in den engen Gassen des Städtchens wohl und zu Hause gefühlt hatte, wie nie ein Mensch sich zu Hause gefühlt hat; er, dem kein Duft so köstlich gewesen war wie der Stallgeruch des » Rathskellers«; der sich unermüdlich gesuhlt hatte im Mief und Moder menschlichen Stammtischsumpfs; er, der sich nicht hatte vorstellen können, wie Menschen freiwillig leben konnten jenseits der Hügel, die sein Städtchen umgaben, und der sich kein größeres Glück hatte denken können, als im Sommer zu schwimmen in jenem Fluß, der sich so lieblich durchs Städtchen schlängelte – Harry Widmer junior hatte in den fünf Jahren seiner Verbannung gelernt, daß es noch andere Städte gab und andere Flüsse. Er hatte gelernt, daß jede menschliche Siedlung auf der Welt ihren »Rathskeller« hat und daß in jedem »Rathskeller« ein Stammtisch steht und daß an jedem dieser Stammtische ein paar Sauhunde sitzen.

8

Dann kam der Tag, der zum Wendepunkt in Harry Widmers Leben werden sollte. In der Nacht zuvor hatte ein Sturm die Palmen zerzaust, ein paar Wellblechdächer mitgenommen und drei VW-Busse zur Seite gekippt. Die großen Brecher hatten sich mit solcher Gewalt ans Land geworfen, daß die Schaumkronen über die ganze Breite des Strandes und weit die Düne hoch gelaufen waren und Harrys Veranda umspült hatten. Aus allen Himmelsrichtungen gleichzeitig hatte der Wind am Pavillon gerüttelt und Sprühregen und Sandstaub durch die Ritzen getrieben, der sich überall festsetzte – auf dem Fußboden, dem Tisch und den Sesseln und den Bettlaken, und auf Harrys Gesicht. Gegen Mitternacht hatte Harry kapituliert und war durch Blitz und Donner und horizontalen Regen ins Dorf gelaufen, um sich wieder einmal zu betrinken bis zum Morgengrauen.

Daß er am späten Morgen nach vier oder fünf Stunden Schlaf ein erstes Mal erwachte wegen Harndrang, trokkener Kehle und einem schmerzhaften Pochen in den Schläfen, war noch nichts Ungewöhnliches; auch nicht, daß er sich dagegen sträubte, seine Augen dem grellen Tageslicht auszusetzen. Zusammengerollt wie ein Hund lag Harry unter seinem Laken, und mit Genugtuung nahm er zur Kenntnis, daß er nackt war – daß er also bei der Heimkehr noch imstande gewesen war, sich auszuziehen. Mit geschlossenen Augen versuchte er die Ereignisse der Nacht zu rekonstruieren und lauschte gleichzeitig den wenigen Geräuschen, welche die Ruhe nach dem Sturm durchbrachen. Da war das heisere Tröten des Schulbusses, der sich jenseits des Dorfs über die Interstate quälte; da war das Gezwitscher der Vögel im nahen Palmenhain und das freundliche Surren des Kühlschranks. Aber was war das? Da war noch ein Geräusch, und zwar kein entferntes, sondern ein nahes. Ein sehr nahes. Es war ein regelmäßiges Quietschen, ein Schaben, ein schleifendes Geräusch. Das Geräusch war so leise und zugleich so deutlich und scharf, daß es nicht von außerhalb des Pavillons kommen konnte. Noch nicht mal von außerhalb seines Schlafzimmers. Was zum Teufel war das? Harry sträubte sich dagegen, die Augen zu öffnen und Nachschau zu halten. Aber dann war da auch noch ein sonderbarer, fremdartiger, süß-sauer stechender Geruch, der sich in seiner Nase vermischte mit dem frischen Kernseifenduft seiner Bettwäsche und dem vertrauten Gestank seiner Kleider, die neben dem Bett auf einem Haufen lagen und muffelten, als ob damit sämtliche Aschenbecher in Angelitos Billardsalon ausgerieben worden wären. Dieser unbekannte Geruch aber konnte nichts anderes sein als – fremde menschliche Ausdünstung. Harry sah ein, daß kein Weg um einen Augenschein herumführte. Er schlug die Augen auf, und in der gleichen Sekunde kniff er sie wieder zu und stieß einen Schrei aus und riß die Augen ungläubig wieder auf. Auf dem Schaukelstuhl beim Fenster saß schlafend Juanita, die alte Vettel, und wiegte sich sachte vor und zurück. Die Arme hingen leblos an ihr herab, der Kopf war ihr in den Nakken gefallen, und das rechte Bein ließ sie über die Armlehne baumeln, während das linke lang ausgestreckt geradewegs auf Harry deutete. Dadurch war ihr fadenscheiniger Rock hochgerutscht, und Harry konnte ihre weißen, erstaunlich jugendlichen Oberschenkel sehen und daß sie keine Unterwäsche trug und daß das Geschlecht der alten Frau nur noch spärlich grau behaart war wie ein Pferdemaul. Unbarmherzig leuchtete die Sonne Juanitas schlafendes Gesicht aus; ihre verrunzelten Lider lagen tief in den Augenhöhlen, die Nase war mit roten und blauen Äderchen bedeckt, an ihren eingefallenen Wangen klebten ein paar Strähnen ihres gelbgrauen Haares, und um ihren altersfaltigen, offenstehenden Mund lag ein seltsam doppeldeutiges Lächeln; Harry fragte sich, ob es das katzenhafte Grinsen befriedigter Lüsternheit war oder im Gegenteil die Leidensmiene der geschundenen Kreatur. Wie zum Teufel war die kranke Alte in sein Schlafzimmer gelangt, was war geschehen? Doch nicht etwa ...? Das nackte Grauen kroch Harry über den Rücken. Unendlich langsam, und so leise als möglich, als ob er von schlafenden Giftschlangen umzingelt wäre, schob er die rechte Hand unters Laken, betastete sich und hob die Finger an die Nase mit der Ergebenheit eines Delinquenten, der auf sein Todesurteil wartet. Er schnüffelte – nichts. Er nahm eine zweite Probe mit der linken Hand – negativ. Gott sei Dank. Heilige Maria Muttergottes, ich danke dir. Gelobt seist du, oh Herr. Mit angehaltenem Atem und langsam, langsam schlug er das Laken zurück, schwang die Beine über den Bettrand, hob seine Hose auf und ging auf Zehenspitzen aus dem Zimmer, hinaus ins Freie. Frische Kleider würde er holen, wenn Juanita weg war.

Harry machte sich auf den Weg, um im Dorf die Zeitung zu holen und bei Angelito zwei oder drei Flaschen Cola zu trinken. Aber schon nach wenigen Schritten fühlte er, daß er noch nicht recht bei Kräften war. Er kehrte um und holte im Depot einen Sonnenschirm, lief über die

Düne zum Strand und spannte den Schirm auf. Dann legte er sich in dessen Schatten, genoß eine Weile die Wucht der Brandung und das köstliche Gefühl, eine schwere Sünde nicht begangen zu haben, und schlief zufrieden ein.

Er wachte auf, weil jemand seinen Namen rief.

»Das ist doch Haroldo!« sagte die Stimme laut und vernehmlich und etwas von oben herab. Harry junior fuhr zusammen, öffnete aber nicht die Augen. Irgendein Gringo. Den konnte Harry jetzt nicht gebrauchen. Die Saison war vorüber, jetzt wollte er seine Ruhe haben.

»Hey, Haroldo, bist du das?« sagte die Stimme etwas leiser, leicht verunsichert. »Haroldo, El Suizo?«

Der Gringo kam näher und räusperte sich. Harry stellte sich weiter schlafend. Der Gringo scharrte mit den Füßen Sand gegen Harrys nackte Fußsohlen. Aber der blieb liegen wie tot.

Der Gringo gab nicht auf. »Na, na, na, ich täusche mich nicht«, sagte er in belustigtem, gönnerhaftem Ton. »Das ist er schon – der gute alte Haroldo!«

Dann begann er heiser eine Art Melodie zu pfeifen, die ähnlich klang wie »I'm singing in the rain«. Als Harry auch danach noch eisern weiterschlief, kippte der Gringo für eine Sekunde den Sonnenschirm zur Seite, so daß grelles Sonnenlicht auf Harrys Gesicht fiel. Jetzt schlug er die Augen auf. Der Gringo sah aus, wie Gringos halt aussehen. Harry hatte keinerlei Erinnerung an ihn.

»Haroldo, altes Haus! Gut geschlafen? Ich bin wieder hier, wie du siehst! Konnte bisher nicht vorbeischauen, weil ich Frau und Kind dabeihatte. Aber jetzt bin ich hier!«

Harry grinste verlegen. Er versuchte sich an den Namen des Gringos zu erinnern, oder zumindest an das Jahr, in dem er ihn kennengelernt hatte.

»Gut siehst du aus!« sagte der Gringo wohlwollend und ließ sich neben Harry in den Sand fallen. »Hast dich überhaupt nicht verändert. Obwohl ... untendurch ein bißchen Muskeln angesetzt, wie?« Und dabei tätschelte er ihm freundlich die quellende Hüfte.

»Na ja«, brummte Harry und rückte ab von der tätschelnden Hand. »Man läßt es sich gutgehen.« Allmählich kam ihm der Gringo vage bekannt vor. Aufdringliche Typen wie den gab es nicht viele, pro Saison ungefähr einen. Aber wie zum Teufel hatte dieser hier geheißen?

Jack. Das war's. Vor zwei oder drei Jahren. Hatte im »Tropicana« wegen einer Wette eine lebende Eidechse verschluckt. Und hatte danach dauernd gefurzt und behauptet, daß ihn die Echse im Hintern kitzle.

Oder hieß er Joe?

Nein, Jack.

Joe?

Jack.

Jack oder Joe. Was für ein Idiot.

»Hör zu, wenn du wegen eines Surfbretts oder Waverunners gekommen bist, muß ich dich enttäuschen. Ich habe das Zeug eingemottet, die Wellen sind zu hoch und die Saison seit ...«

»... zwei Wochen vorbei, ich weiß. Wem sagst du das.« Jack oder Joe lachte meckernd und machte eine wegwerfende Handbewegung. »Ich sollte längst weg sein, weißt du. War mit Frau und Tochter hier. Drei Wochen. Sind beide weg seit Pfingstmontag. Der Hund auch. Nur ich bin noch da. Frau weg, Tochter weg, Hund weg. Job wahrscheinlich auch weg.«

»Was ist schiefgelaufen?« Jetzt begann Harry die Sache

zu interessieren. Er witterte ein Drama. Ein Idiotendrama von biblischem Ausmaß. Aber Jack oder Joe wiederholte nur sein meckerndes Lachen.

»Schwamm drüber. Hey, Haroldo! Daß ich dich hier treffe! Weißt du noch, wieviel Spaß wir zusammen hatten?«

»Hm ...«

»Wie du damals die Eidechse verschluckt hast?«

»Wer – ich?« Harry junior war jetzt doch verblüfft.

»Klar! Weißt du nicht mehr? Wie du dich nackt auf den Bauch gelegt hast und wir gewartet haben, daß dir die Echse aus dem Arsch kriecht?«

Harry junior wehrte sich nicht. Er wußte, daß er Jack oder Joe niemals würde von der Wahrheit überzeugen können. Idioten wie er waren nicht zu überzeugen. Die wußten, was sie wußten, da konnte man lange reden. Und schließlich war es ja auch egal. Hauptsache, sie hatten eine gemeinsame Erinnerung und etwas zu lachen.

»War das ein Spaß!«

»Jetzt, wo du es sagst ...«

»Ein Riesenspaß! Sag, Haroldo, wollen wir nicht einen trinken darauf? Ich lade dich ein.«

9

Harry junior brachte es nicht übers Herz, Jack oder Joe zum Teufel zu schicken; und ein Gläschen in Ehren würde helfen gegen das Hämmern im Schädel und die Feuersbrunst im Magen. Also stand er auf und wischte sich den Sand ab, brachte den Sonnenschirm zurück ins Depot und zottelte an Jack oder Joes Seite ins Dorf. Sie lehnten sich bei Rosalita an den Tresen – und dort ereignete sich in der folgenden Stunde das uralte Wunder der Annäherung unter Trinkern. Während der ersten drei Gläser musterten sie einander mit verhohlener Neugier; vom vierten bis zum siebten Glas machten sich Zutrauen und Zuneigung breit; beim achten Glas entdeckten sie ihre Seelenverwandtschaft, und ab dem elften Glas waren sie Blutsbrüder, die einander im Leben niemals mehr im Stich lassen würden.

Erst kam der Mittag, dann der Nachmittag. Es wurde Abend, und dann Nacht. Jack oder Joe und Harry junior soffen, rauchten und spielten Billard, und sie quasselten, quasselten, quasselten viele Stunden lang. Sie schlugen einander auf die Schultern und umarmten sich. Sie hatten tiefe, tiefe Gedanken und Empfindungen, denen sie in kraftvollen Worten Ausdruck verliehen und die sie dann hundertmal wiederholten, wie Betrunkene das nun mal tun. Der Mond ging auf und wieder unter, die streunenden Hunde verschwanden einer um den anderen in den VW-Bussen, drehten sich um sich selbst und steckten die Schnauzen ins Fell, während Harry junior und Jack oder Joe soffen und soffen und soffen. Und als sich hoch über der Bucht auf den Gebirgszacken silbergrau der nächste Tag ankündigte, saßen die beiden nebeneinander auf der Düne und schauten hinaus auf den tobenden Ozean, hielten jeder eine Flasche Corona in der Hand und stanken aus den Mäulern wie Moorleichen. Jack oder Joe hatte Harry in trunkener Männerzärtlichkeit den Arm um die Schultern gelegt, und der ließ es sich gefallen.

»Verstehst du, das ist wissenschaftlich erwiesen«, sagte Harry mit dozierend gerecktem Zeigefinger. »Der Mensch hat schon vor der Geburt seine Träume. Noch im Mutterleib.« Er kaute da auf einem Gedanken herum, der ihn beschäftigte, seit er ein paar Wochen zuvor einen Artikel in einem alten »National Geographic« gelesen hatte, das eine von Angelitos Angebeteten in der Billardhalle liegengelassen hatte. »Man hat das gemessen, Hirnströme und so weiter. Alles klar, Embryonen träumen. Ich frage mich nur, wovon träumen die Kleinen? Verstehst du mich? Wovon träumen die?«

»Keine Ahnung«, sagte Jack oder Joe.

»Haben noch nichts gesehen von der Welt und kaum etwas gehört – wovon zum Teufel träumen die dann? Die haben doch nichts, woran sie sich erinnern können – oder doch?«

»Keine Ahnung.«

»Ein Traum ohne Erinnerung – das wäre doch so was wie die Standard-Software des Menschen, verstehst du? Direkt ab Werk sozusagen. Und dann – ob die bei jedem gleich ist, die Software? Und, große Frage: Wer hat das Programm geschrieben? Verstehst du mich? Jack … Joe?«

»Hmm, hmm«, machte Jack oder Joe und schabte mit

dem Daumennagel das Etikett von der Bierflasche. Da sah Harry ein, daß von Jack oder Joe auf den Gebieten der Erkenntnistheorie und Neurologie keine bahnbrechenden Erkenntnisse zu erwarten waren, zumindest nicht um diese Uhrzeit. Also wechselte er das Thema.

»Jetzt sag's mir endlich. Wie kommt es, daß du immer noch hier bist?«

»Hm?« sagte Jack oder Joe.

»Wieso bist du noch hier? Alle Gringos sind weg. Die Saison ist vorbei.«

»Hm? Ach so, ja. Bin noch hier.« Jack oder Joe schnaubte wie ein Pferd. »Sollte längst weg sein, richtig?«

»Ja.«

»Bin aber noch hier.«

»Das sehe ich.«

»Bin noch hier.«

»Aber wieso?«

»Bin noch hier.«

»Ja.«

»Um ein Haar wäre ich weggefahren, weißt du? Bin aber noch hier. War eigentlich schon unterwegs. Chrysler mit Wohnwagen. Frau. Kind. Hund. Verstehst du? Plötzlich: Zack! Alles weg. Pfingstmontag. War schon raus aus dem Büro vom Campingplatz. Pünktlich um zehn. Bezahlt für die ganzen drei Wochen. Unterwegs auf der Landstraße. Schon zwölf Kilometer zurückgelegt. Da hat mich meine Frau rausgeschmissen. Zack. Raus aus dem Chrysler. Weggefahren. Hat mich stehenlassen. Alle weg. Hund. Frau. Tochter. Chrysler.«

»Zack?« fragte Harry.

»Zack.«

Die Sache war die: Am Tag der Abreise hatten Jack oder Joe, Gattin Lucy und Tochter Cindy ein letztes Mal herzhaft ausgeschlafen und waren erst um zehn vor zehn Uhr aufgewacht ob des Gewinsels von Langhaardackel Twister, der vor dem Wohnwagen festgebunden war und dem die aufsteigende Sonne den Schatten raubte. Dann brach Hektik aus, denn um zehn Uhr mußte der Standplatz geräumt und die Rechnung beglichen sein; andernfalls hatte man auch für den angebrochenen Tag zu bezahlen. Jack oder Joe holte den Chrysler vom Parkplatz, fuhr rückwärts heran und kuppelte den Wohnwagen an. Er rollte Stromkabel und Wasserschläuche zusammen und sammelte die weißen Plastik-Gartenmöbel ein, während Tochter Cindy Twister Gassi führte und Gattin Lucy das Frühstück zubereitete. Denn die Familie wollte noch frühstücken vor der großen Fahrt, gleich auf dem Parkplatz hinter dem Büro des Campingplatzes.

Kurz vor zehn Uhr setzte Jack oder Joe den Chrysler samt Wohnwagen in Gang, und zwar sachte, damit auf dem Frühstückstisch kein Kaffee verschüttet wurde. Eine Minute später war er im Büro und beglich die Rechnung, und Sekunden später war er mit Vollgas unterwegs auf der Landstraße.

»Und dann?« fragte Harry.

»Verstehst du, der Manager hatte einen Fehler gemacht. Hatte vergessen, mir Strom- und Wasserkonsum zu berechnen. 278 Pesos. Ich also bezahlt und nichts wie weg, bevor der draufkommt und mir hinterherrennt. Fahre los wie der Teufel auf dieser verfluchten Schotterpiste, Schlaglöcher und Wellblech und alles, kennst du ja, und nach zehn Kilometern bin ich beruhigt und denke, ich hab's geschafft. Fahre langsamer. Da dudelt im Handschuhfach mein Handy. Und weißt du, wer dran ist? Meine Frau.«

Lucy hatte im Wohnwagen gerade die Kaffeekanne zurück auf den Gasherd gestellt und große Gläser mit eiskaltem Orangensaft gefüllt, als Jack oder Joe aus dem Büro des Campingplatzes gestürmt kam, panisch und ohne jeden Gedanken an das bereitstehende Frühstück. Beim anschließenden Kavalierstart glitten die Marmeladetöpfe über den Tisch wie Curlingsteine, das kochend heiße Wasser des Eierpfännchens verbrühte Dackel Twister, der Kaffee verbrühte Gattin Lucy, Teller, Tassen und Gläser flogen aus den offenstehenden Schränken, der Fernseher fiel vom Podest, streifte Tochter Cindy am Unterarm und verpaßte ihr eine mindestens zwei Zentimeter lange Kratzwunde, die sie fürs Leben verunstalten würde. Die zwölf Kilometer lange Fahrt über die holprige Landstraße war für die Insassen des Wohnwagens ein einziges unendlich langes Erdbeben, und zwar ein heftiges. Als Lucy im Epizentrum des Infernos endlich ihr Handy dingfest gemacht und dem Gatten über Satellit den Befehl zum Halten erteilt hatte, fuhr der an den rechten Straßenrand, blieb schuldbewußt im Wagen sitzen und beobachtete im Rückspiegel, wie die Wohnwagentür aufging, seine Lucy mit einem großen Schritt ins Freie trat, sich zwischen Wohnwagen und Chrysler an der Kupplung zu schaffen machte und dann an der Fahrertür auftauchte. Sie sah noch nicht mal wütend aus. Das verhieß nichts Gutes. Lucy klopfte mit der flachen Hand aufs Dach, worauf er per Knopfdruck die Scheibe drei Zentimeter herunterließ.

»Das war's, Darling«, sagte sie mit der unpersönlichen

Freundlichkeit eines Verkehrspolizisten. »Nimm deinen Paß und deinen Führerschein aus dem Handschuhfach und steig aus. Mit einem Menschen wie dir kann ich nicht zusammenleben.«

»Honey...«

»Sei still. Den Schlüssel kannst du steckenlassen. Ich nehme den Chrysler, du den Wohnwagen.«

»Aber...«

»Vergiß deine Zigaretten nicht. Willst du Twister bei dir behalten?«

»Ich...«

»Dann nicht. Steig jetzt aus, mach schon. Viel Glück, Darling.«

»Du...«

»Du kriegst den Wohnwagen, ich das Auto. Die Wohnung gehört dir, mit allem, was drin ist. Wir werden nicht da sein. Du brauchst uns nicht zu suchen, wirst uns nicht finden.«

Und weg waren sie.

Seither hauste Jack oder Joe auf Kilometer zwölf nördlich des Dorfs im Staub der Interstate 200, an genau jener Stelle, an der ihn seine Gattin abgehängt hatte, und konnte sich nicht dazu durchringen, den Wohnwagen im Stich zu lassen und in den nächsten nordwärts fahrenden Bus zu steigen.

»Sollte längst weg sein, ich weiß schon. Aber der Wohnwagen – was soll aus dem werden?«

Harry Widmer junior hatte nun doch ein bißchen Mitleid. Mit der flachen Hand klopfte er ihm freundlich auf den Rücken.

»Bist halt schon ein blöder Hund.«

»Hm?«

»Pistazien sind ein schöner Fund.«

Sie tranken ihre Flaschen leer und warfen sie hinaus in die Brandung. Dann griffen sie hinter sich in den Sand, wo der Nachschub lag.

»Frau weg, Hund weg, Kind weg, Auto weg. Kannst du dir das vorstellen? Hast du Kinder, Haroldo?«

»Cielo, no.«

»Kein Kind? Du solltest Kinder haben.«

Das ging Harry nun aber zu weit. »Halt jetzt die Schnauze«, sagte er freundlich, aber auf Spanisch.

»Kinder sind wunderbar, die sind nicht das Problem. Weiber eigentlich auch nicht. Aber wenn die Weiber Kinder wollen, dann geht's los!«

»Halt die Klappe.«

»Dann geht's los, Haroldo, daß du dich nicht mehr auskennst! Erst sind sie zwei Jahre lang sauer, weil sie nicht schwanger sind. Dann sind sie ein Jahr unausstehlich, weil sie schwanger sind.«

»Still sein, sag ich. Du erbsenhirniger Brüllaffe.«

»Und wenn sie dann nicht mehr schwanger sind, haben sie den Babyblues für ein Jahr oder zwei. Macht alles in allem fünf Jahre. Wenn du Glück hast.«

»Jetzt sei lieb und halt die Fresse.«

»Fünf Jahre deines Lebens, Haroldo, verstehst du? Pro Kind. Vielleicht mehr.«

»Ich schlage dir gleich sämtliche Zähne ein, weißt du?« Harry lächelte freundlich.

»Natürlich können sich diese Fünfjahresphasen überlappen, wenn du mehrere Kinder hast. Dann wird's gesamthaft kürzer, aber um so schlimmer.«

»Ich stoße dir die Zähne den Rachen hinunter, daß sie dir in Zweierkolonne mit Tambourenbegleitung aus dem

Arsch marschieren.« Diesen Spruch hatte er bei Angelito aufgeschnappt, als wertvoll erkannt und sich sorgfältig eingeprägt.

»Genau«, sagte Jack oder Joe.

Eine Weile waren sie still, tranken und rauchten. Dann ergriff wieder Jack oder Joe das Wort. Er hielt beim Sprechen den Kopf schräg und lauschte verzückt seiner eigenen Stimme wie ein Mystiker, der die Stimme Gottes vernimmt.

»Du machst es richtig, Haroldo, du hast den Dreh raus. Kein Ärger mit den Weibern, immer genug Geld, lebst dein Leben unter Palmen. Obwohl ...«, er rieb sich das Kinn und sah aufs Wasser hinaus, »... aufs Meer könnte ich verzichten. Das würde mir auf den Keks gehen. Mit der Zeit.«

»Trinken wir auf den Ozean!« sagte Harry versöhnlich und stieß mit seiner Flasche gegen jene von Jack oder Joe. Der rümpfte die Nase und schüttelte den Kopf.

»Verfluchter, blöder Ozean«, murmelte er. »Auf den trinke ich nicht. Verdammtes, großkotziges Arschloch von einem Ozean! Dieses Getue mit den Wellen – schaut her, was für Riesenwellen ich machen kann! Was meint der eigentlich, wer er ist, dieser Scheißozean? Elvis Presley vielleicht? Oder Rambo oder George Bush oder was?«

»Ganz recht, Kumpel«, sagte Harry.

»Der soll sich mal nicht so anstellen! Der soll mich kennenlernen! Wenn ich mit dem fertig bin, ist er schlapp wie das Mittelmeer! In Rimini! Warst du mal in Rimini, Haroldo – drüben in Europa? Soll ich dir zeigen, was ich mit diesem Ozean mache? Soll ich's dir zeigen? Haroldo?«

Jack oder Joe stand auf, hob die Fäuste vors Gesicht und tänzelte über den Strand, auf die Wasserlinie zu.

Harry junior rief ihm warnend hinterher, aber Jack oder Joe hörte ihn nicht. Harry wollte ihm hinterherrennen, aber irgendwie hatte ihn der Sand am Hintern gepackt und ließ ihn nicht aufstehen, und als er endlich hochkam, war es zu spät. Wenn in diesem Augenblick eine Welle gekommen wäre, so hätte sie Jack oder Joe wahrscheinlich gepackt, ein wenig geschurigelt und zurück an Land gespuckt. Zu dessen Unglück aber machte die Brandung gerade Pause, was ihm Gelegenheit bot, fäusteschwingend fünfzig oder achtzig Meter ins Wasser hinauszuwaten. Als dann die nächste schwarze Wasserwand heranraste, hob sie Jack oder Joe fünf, zehn, fünfzehn Meter in die Höhe, warf ihn hinunter und stürzte ihm nach, schleuderte ihn hin und her und hoch und nieder wie ein Krokodil die Antilope, schleifte ihn über den Strand bis zur Düne und wieder zurück, dem offenen Meer entgegen, hob ihn erneut hoch und warf ihn gegen den Strand, und dieser Vorgang wiederholte sich immer wieder, bis das Meer genug hatte und ihn ausspuckte. Als Harry ihn fand, war er nackt und hatte kaum noch Haut am Leib. Hals und Wirbelsäule waren mehrfach gebrochen, die Glieder seltsam verdreht, und Mund, Nase und Ohren waren satt mit Sand verstopft. Sogar unter den Augenlidern war Sand.

10

Harry holte eines seiner Surfbretter, bettete den Toten darauf und schleifte ihn im Licht der aufgehenden Sonne durch das erwachende Dorf zur Billardhalle. Er war zum Umfallen müde und gleichzeitig hellwach. Noch waren keine vierundzwanzig Stunden vergangen seit seinem bösen Erwachen an Juanitas Seite.

Angelito saß hinter dem Tresen und zählte die Einnahmen der Nacht. Er stand auf, trat vor die Tür und schaute hinunter auf die Leiche.

»Der ist hin, Haroldo.«

»Das sehe ich auch.«

»Sieht scheußlich aus.«

»Ja.«

»Wie hieß der noch gleich?«

»Jack«, sagte Harry. »Oder Joe.«

»Komisches Surfbrett, das du da für den Transport ausgesucht hast.«

»Wieso?«

»Weil ein Totenkopf drauf ist. In den Krallen des Adlers.«

»Tatsächlich«, sagte Harry. »Habe ich nicht beachtet im Dunkeln. Was machen wir mit ihm?«

»Laß ihn hier liegen«, sagte Angelito. »Ich bringe ihn zu den Fischen, wenn ich hier fertig bin.«

»Zu den Fischen?«

»Zu den Makrelen. In den Kühlraum der Fischereigenossenschaft. Sonst wird er schwarz und fängt an zu stinken.«

»Wieso begraben wir ihn nicht? Auf dem Friedhof?«

»Begraben?« Angelito lachte. »Der würde nicht lang im Boden bleiben. Gringos wollen immer heim nach Amerika. Spätestens, wenn sie tot sind.«

»Dann müssen wir jemanden benachrichtigen. Die Eltern oder so.«

»Gute Idee. Hast du ihre Nummer?«

Harry junior schüttelte den Kopf. »Ich werde mal im Wohnwagen nachsehen, ob ich seine Papiere finde.«

»Willst du mit meinem Pick-up rausfahren?«

»Danke, ich gehe zu Fuß. Über den Strand.«

»Nimm doch den Pick-up!«

»Ich gehe zu Fuß.«

Als Harry junior auf der Höhe von Kilometer zwölf den Strand verließ und landeinwärts auf die Interstate zulief, sah er den Wohnwagen von weitem. Er war dicht mit Vogeldreck und Straßenstaub bedeckt, ansonsten aber intakt; am Nachmittag oder spätestens am nächsten Morgen, wenn sich die Nachricht von Jack oder Joes Tod herumgesprochen hatte, würden die Kinder kommen und die Scheiben einwerfen und das verlassene Fahrzeug plündern, und weil es unbeobachtet weitab vom Dorf stand, würde es einer irgendwann zum Spaß in Brand stecken. Vorsichtig drehte Harry junior am Knauf – die Tür war unverschlossen. Der Boden des Wohnwagens war klebrig von eingedicktem Kaffee und Orangensaft und schimmeliger Konfitüre. Überall verstreut lagen Scherben, bröselige Brötchen und ölig glänzende Speckstreifen. Ameisen wuselten umher, Fliegen putzten ihre Flügel, eine Schlingpflanze hatte den Weg durch die Lüftungsschlitze ins Innere des Wagens gefunden. Offensichtlich hatte Jack oder Joe kein bißchen Ordnung gemacht seit der holprigen Fahrt vor vierzehn Tagen. Soweit Harry junior die Lage überblickte, hatte seine einzige haushälterische Maßnahme darin bestanden, den Überwurf des Kinderbetts vor seinem eigenen Bett auszubreiten, damit er sich beim Schlafengehen die Füße nicht klebrig machte. Jack oder Joes Kleidertasche lag auf dem Tisch. Harry wühlte in den Baseball-Shirts und Khaki-Shorts und UCLA-Sweatshirts, dann zog er den Reißverschluß der Tasche wieder zu. Natürlich hatte Jack oder Joe seinen Paß versteckt an einem Ort, den er für besonders raffiniert hielt. Denn der Mexikaner, das weiß man, stiehlt wie ein Rabe. Harry junior schaute sich um, ging zum Kühlschrank und öffnete das Gefrierfach. Dort lag, von zartem Reif überzogen, Jack oder Joes marineblauer Reisepaß. Mein Gott, was für ein Idiot, dachte Harry. Er schlug den Paß auf und staunte. Sein toter Saufkumpan hieß gar nicht Jack oder Joe, sondern Scott. Francis Scott Ford.

Zwei Tage später war Jack oder Joe unterwegs nach Mexico City, wo ihm das US-Konsulat einen komfortabel gepolsterten Zinksarg und ausreichend Platz im ungeheizten Gepäckraum einer DC-10 der United Airlines bereitgestellt hatte. Bis dahin aber reiste er in Gesellschaft von fünfundvierzig Tonnen tiefgefrorener Makrelen an Bord eines sechsachsigen Lastwagens, der auf allen Seiten mit »United Seafruit Ltd.« beschriftet war. Wie die Fische lag er auf gestampftem Eis; im Unterschied zu ihnen aber war er nicht mehr nackt, sondern trug Hose und Trikot der mexikanischen Fußballnationalmannschaft, die ihm Angelito zartfühlenderweise kurz vor der Abreise auf dem Dorfmarkt gekauft hatte. Am Flughafen von Mexico City trennten sich ihre Wege. Jack oder Joe flog über Houston nach Cincinnati zu seinen Eltern, die Makrelen reisten nonstop nach Düsseldorf.

Als der United-Seafruit-Lastwagen anfuhr, stand Harry Widmer junior vor dem Kühlraum, unter dem Arm das Surfbrett, auf dem eben noch Jack oder Joe gelegen hatte und das in der Sonne rasch auftaute. Lange, lange blieb er stehen und sah der Staubwolke des Lastwagens hinterher, die sich durch das Dorf, den Palmenhain und hinauf in die Berge zog. Als der Lastwagen außer Sicht war, tat er etwas, was ihn selbst überraschte: Er winkte dem Toten wie einem Bruder, von dem er für immer Abschied nahm.

Sein Heimweg führte über ein unbebautes Stück Land, auf dem vor vielen Jahren ein Fünfsternehotel gebaut worden wäre, wenn nicht kurz vor dem Spatenstich am Dienstmercedes des Provinzgouverneurs die Bremsen versagt hätten. Der Boden war dünn bewachsen mit hartem Gras, das sich sachte regte in der Morgenbrise. Harry junior zog die Schuhe aus und ging barfuß, zum ersten Mal seit vielen Jahren. Auf der Oberfläche des sandigen Bodens hatte sich nach dem letzten Sturm, als Gischt und Regen verdampften, eine millimeterdünne Kruste gebildet, die Harry junior bei jedem Schritt durchbrach. Das erinnerte ihn an Spaziergänge in karstigem Schnee. Er ging langsam und gab acht, daß er nicht auf Dornen oder Scherben trat.

11

Den dritten, entscheidenden Schlag hielt das Schicksal ein paar Tage später bereit, als Harry ahnungslos seinen abendlichen Spaziergang durchs Dorf unternahm. Auf dem Gehsteig vor der Billardhalle hockte der kleine Philosoph auf seinen Fersen, den Rücken der Straße zugewandt und die Nase dicht an der Hausfassade. Die Hose war ihm tief über den Hintern gerutscht, und mit beiden Händen stützte er sich an der Wand ab.

»Ola, Gonzalito!« rief Harry junior. »Was machst du da?«

Der Kleine wandte sich nicht etwa nach Harry um, sondern hielt den Blick fest auf die Hauswand gerichtet. »Ich-bin-nicht-Gon-za-li-to.« Dann nahm er die rechte Hand von der Wand und schlug sich damit schwungvoll auf den Hintern, daß es knallte. Diese Geste war Harry unbekannt; ziemlich sicher war sie als schwere Beleidigung gedacht.

»Entschuldige – José.«

Der Kleine schnalzte mit der Zunge, die Nase noch immer an der Fassade. »Richtig, Haroldo. Jetzt hast du etwas gelernt. Das freut mich. Du wirst heute abend weniger dumm einschlafen als gestern.«

»Und du bist heute noch strenger zu mir als letztes Mal.«

»Ich mag jetzt nicht reden.«

»Was gibt es denn Spannendes zu sehen an der Wand?«

»Ich mag nicht reden.«

»Sag doch.«

»Ameisen.«

»Ameisen?«

»Ich will etwas herausfinden.«

»Was?«

»Ob die wissen, wo oben und unten ist, wenn sie über die Hauswand laufen.«

»Und? Zu welcher Annahme neigst du?«

»Daß sie es nicht wissen.«

»Ach ja?«

»Oben und unten ist für sie das gleiche, weil sie so klein und leicht sind.«

»Wie steht's mit links und rechts?«

»Brmbrmbrm!« machte José und schüttelte ungeduldig den Kopf.

»Du bist ein schlauer Bursche, José.«

»Ausländer sind immer ein bißchen schlauer als Einheimische.«

»Wieso?«

»Weil sie mehr nachdenken müssen. Du zum Beispiel warst bestimmt noch viel dümmer, als du zu Hause warst.«

»Du bist aber kein ...«

»Doch.«

»Jetzt hör auf. Ich bin hier der Ausländer, nicht du. Du bist Angelitos Sohn.«

»Aber auch der Sohn meiner Mama.«

»Und?«

»Die ist Ausländerin.«

»Aha?«

»Thailänderin.«

»Deine Mama?«

»Brm.«

»Deine Mama ist Thailänderin?«

»Brmbrm.«

Harry Widmer junior stand da wie vom Donner gerührt. Er starrte auf das dichte, schwarzglänzende Haar des Buben, und beim Gedanken, daß in zehntausend Kilometern Entfernung vielleicht gerade in diesem Augenblick ein ganz ähnlicher Wuschelkopf eine Schüssel Cornflakes löffelte und ihn womöglich unbekannterweise haßte, bekam Harry heiße Ohren. Erst als ihm Jose mit Hintern und Händen signalisierte, daß er jetzt wirklich nicht mehr reden wollte, gab er sich einen Ruck und wankte hinein ins Halbdunkel der Billardhalle. Angelito saß an seinem Klapptisch und polierte Billardkugeln mit einem feuchten Lappen.

»Sag, Angelito, ich habe da grad mit deinem kleinen ...«

»Schschschsch!« Angelito hielt sich beide Zeigefinger vor die gespitzten Lippen und riß erschreckt die Augen auf. »Bist du wahnsinnig!« flüsterte er. »Ich habe alles gehört. Im ganzen Haus hat man gehört, wie ihr gebrüllt habt.«

»Und?«

Angelito preßte die Lippen aufeinander und deutete mit beiden Zeigefingern zur Decke hoch.

»Deine Frau? Ist die wirklich ...«

»Schschsch!«

»Bitte, Angelito, ich muß das wissen. Es ist wichtig. Ich kann dir nicht erklären, weshalb, aber ich muß ...«

»Meine Frau schätzt es gar nicht, wenn über sie geredet wird!«

Angelito zog einen zweiten Stuhl zu sich heran und bedeutete Harry, sich zu setzen, und dann flüsterte er ihm alles ins Ohr. Seine Frau war tatsächlich Thailänderin, und zwar die einzige Tochter des thailändischen Botschafters in Mexico City. Vor dreiundzwanzig Jahren hatte sie

hier, ein junges Mädchen noch, dreiwöchige Badeferien
verbracht mit ihrer Gouvernante und dem Herrn Papa.
Schon am dritten Abend hatte sie mit List und Tücke die
Gouvernante abgeschüttelt und war allein am Strand spa-
zierengegangen, wo sie im Mondschein rein zufällig auf
einen glutäugigen Schönen namens Angelito traf, der so
interessant an der Welt leiden konnte. Seine Stimme war
tief und aufrichtig, und wenn er sie so düster anschaute
unter schwarzen Brauen hervor, bekam sie weiche Knie.
Zudem hatte er schöne Unterarme. Am Ende der dritten
Ferienwoche hatte die Diplomatentochter den weiteren
Verlauf ihres irdischen Daseins klar vor Augen. Sie würde Reichtum und gesellschaftlichem Ansehen entsagen
und ihr Leben verbringen an der Seite dieses Fischersohns,
der das größte Genie aller Zeiten war. Der Herr Papa
schimpfte und fluchte, drohte erst mit Liebesentzug und
dann mit Enterbung, aber das Mädchen trat trotzdem vor
den Traualtar, oder gerade deswegen, worauf Papa beide
Drohungen in die Tat umsetzte. Immerhin aber brachte er
es nicht über sich, die Tochter ohne jedes Brautgeld ins
Leben zu entlassen. Der ungeliebte Schwiegersohn seinerseits wollte das Geld erst stolz zurückweisen, besann sich
dann aber, baute mit dem Brautgeld vor der Hochzeit
ein Haus am Dorfplatz und richtete im Erdgeschoß eine
Billardhalle ein. Das junge Paar bezog die oberen Stockwerke und war glücklich, mindestens zwei Wochen lang –
aber dann büßten Angelitos tiefsinnige Erörterungen
dramatisch rasch an Faszination ein. Nach drei Monaten
Ehe kannte die junge Gattin jeden einzelnen seiner Text-
bausteine auswendig, und weitere drei Monate später
wollte sie nichts mehr davon hören, nachgerade zum Hals
heraus hing ihr das Gewäsch, kotzen hätte sie jedesmal
mögen, wenn er wieder damit anfing, und totschlagen

hätte sie ihn können, wenn er diese weinerlich wäßrigen Augen machte. Und was sie an seinen Unterarmen früher mal gefunden hatte, war ihr jetzt auch ein Rätsel.

Aber geheiratet hatte sie ihn nun mal. Hier unterschied sie sich in nichts von den anderen Ehefrauen des Dorfes, die ihre Gatten tagtäglich über sich ergehen ließen, wie man einen Landregen, eine Grippe oder die Inflation hinnimmt. Diese Frauen fanden Hilfe, Zuneigung und Trost nicht etwa bei ihren Männern, sondern bei ihren Schwestern, Tanten, Töchtern, Müttern und Schwiegermüttern. Zusammen bildeten sie ein Netzwerk, eine mafiöse Vereinigung, die nicht nur sich selbst am Leben erhielt, sondern auch alle Kinder, Männer und Nutztiere des Dorfes.

Von diesem Netzwerk aber blieb Angelitos junge Gattin ausgeschlossen, weil sie eben niemandes Schwester, Cousine, Tochter, Nichte oder Enkelin war. Also verkroch sie sich im Haus und richtete ihr Zimmer gemütlich ein mit Tüchern an den Wänden, riesengroßen Sitzkissen um einen niederen Teak-Tisch und einer lebensgroßen, vergoldeten Buddhastatue in der Ecke, vor der Tag und Nacht Räucherstäbchen brannten. Um ihren Kummer zu lindern, naschte sie Schokolade und wurde dick davon. Bald traute sie sich nicht mehr auf die Straße, was sie noch einsamer und unglücklicher machte, weshalb sie noch mehr Schokolade zu sich nahm, dazwischen gerne auch spanischen Käse, Weißbrot mit Rohschinken und erstaunliche Mengen Corona-Bier. Die erste Schwangerschaft trug dann das Ihrige bei zur weiteren Ausdehnung der Leibesfülle, und nach dem dritten Kind nahm Angelito ihre Schwangerschaften jeweils überhaupt erst wahr, wenn die Wehen einsetzten. Außer Haus zeigte sie sich nicht mehr. Im fünften Ehejahr ließ sie sich in einer Ecke ihres Zimmers eine Toilette und ein Sitzbad einbauen, so daß sie ihr Reich nicht mehr verlassen mußte. Außer Angelito und den Kindern bekam niemand mehr sie zu Gesicht. Zu der Zeit, da Harry Widmer junior sich im Dorf niederließ, war sie schon eine lebende Legende, ein Geist aus Fleisch und Blut, an dessen Existenz man zwar glaubte, manchmal aber auch ein wenig zweifelte.

»Es ist meine Schuld«, flüsterte Angelito und zog bitter die Mundwinkel nach unten. »Ich hätte alles voraussehen müssen. Aber ich war eitel, selbstsüchtig und grausam. Hätte ich sie wirklich geliebt, so hätte ich sie zurückgeschickt zu ihrem Papa.«

»Sag, Angelito ...« Harry Widmer junior hatte eine Idee. Na, eine Idee nicht gerade, aber immerhin.

»Ja?«

»Kann ich dich etwas fragen?«

»Nicht so laut, hombre.«

»Kann ich dich etwas fragen?«

»Sicher.«

»Kannst du Thailändisch?«

»Was meinst du – kochen?«

»Die Sprache.«

Angelito kicherte. »Wie stellst du dir das vor? Meine Frau und ich sind ja ein paarmal in Thailand gewesen, früher, als sie noch nicht so ... als wir noch jünger waren. Aber Thailändisch – das ist keine Sprache, das ist ein Geheimcode!«

»Kein Wort?«

»Na ja, Guten Tag und Danke und Wo ist der Bahnhof. Aber sonst ... allein schon die Schrift! Das kann man nicht lernen, sage ich dir. Keine Ahnung, wie das die kleinen Kinder in Thailand schaffen. So klein, und müssen schon Thailändisch lernen.«

»Was meinst du, würde deine Frau mir Unterricht geben?«

»Hombre! Du sprichst von meiner Frau!«

»Ich würde sie auch bezahlen.«

»Ich warne dich!«

»Sprachunterricht, Angel. Soll ich mal hochgehen und fragen?«

»Tu das. Dann reißt sie dir die Gedärme aus dem Leib und brät sie dir zum Abendbrot. Außer mir und den Kindern darf niemand zu ihr.«

»Würdest du für mich fragen?«

»Das ist sinnlos. Sie empfängt niemanden.«

»Frag sie. Bitte.«

»Es ist unmöglich, wenn ich es dir doch sage! Sie hat seit über siebzehn Jahren keinen Fuß aus ihrem ...«

»Aaaaannngeeeel!« Das klang wie der Ruf einer zornigen Berglöwin. Die zwei Männer am Klapptisch duckten sich und machten lange Gesichter.

»Verfluchtes Weib! Sie hat uns belauscht.«

»Unser Geflüster? Über zwei Stockwerke?«

»Ich gehe jetzt besser zu ihr.«

»Viel Glück.«

»Wartest du hier auf mich?«

Angelito verschwand die Treppe hoch. Harry Widmer junior vertrieb sich die Zeit, indem er Billardkugeln polierte. Nach ein paar Minuten kehrte Angelito zurück. Er machte ein Gesicht, als ob er einen Blick ins Jenseits geworfen hätte.

»Es ist unglaublich. Du sollst zu ihr hochgehen. Sie will dich sehen.«

»Jetzt gleich?«

»Sofort.«

12

Angenehm kühl war's in der Kammer der Ameisenkönigin. Irgendwo summte eine Klimaanlage, gedämpft drang der Lärm des Dorfplatzes ins Halbdunkel. Durch die geschlossenen Jalousien warf die Abendsonne dünne Scheiben von Licht, in denen Staub tanzte und sich der Rauch von Räucherstäbchen kringelte. In der einen Ecke lächelte der Buddha, in der entgegengesetzten ruhte mächtig auf einem Berg von Kissen die Frau – ein Berg von einer Frau. Gold an den Fingern, Gold an den Handgelenken, um den Hals und an den Ohren. Und als sie zu sprechen anfing, blitzte es golden aus ihrem Mund.

»Stell dich ins Licht, Haraldo, ans Fenster! Damit ich dich sehen kann.«

Harry junior gehorchte, bohrte die Fäuste in die Hosentaschen und starrte auf seine Schuhspitzen. Sein Instinkt riet ihm zu schweigen, bis die Frau ihn zum Reden aufforderte. Sie musterte ihn von oben bis unten, brummte und summte etwas Unverständliches und zog eine mißtrauische Schnute wie ein Viehhändler, der eine kostspielige Kuh begutachtet.

»Hmhm ... aha ... soso ... ts, ts ... so siehst du also aus, Haroldo. Nicht übel. Hygienisch vermutlich nicht ganz einwandfrei, aber ansonsten nicht übel.«

Harry junior wollte aufbegehren, aber die Frau schnitt ihm mit einer waagrechten Handbewegung das Wort ab. »Laß gut sein, ich weiß alles. Hast dich ein bißchen gebessert in letzter Zeit, wie ich höre. Setz dich dort hin, aufs rote Kissen. Jetzt willst du also Sprachen lernen?«

Harry Widmer junior nickte, setzte sich aufs rote Kissen und schlug die Beine unter. Und als die Frau fragte, wieso es von allen Sprachen der Welt ausgerechnet Thailändisch sein müsse, erzählte Harry seine Geschichte – erst stockend und zögernd, bald aber immer flüssiger und gewandter. Er sprach hastig, als ob er fürchtete, daß die Frau ihm gleich den Mund verbieten und die Tür weisen würde. Sie hörte ihm aufmerksam zu. Als er zu Ende erzählt hatte, ging ein Lächeln über ihr Gesicht, ein Grinsen, das breit und immer breiter wurde und dann erlosch. Nachdenklich rieb sie sich die linke Wange und betrachtete Harry wie ein seltsames Tier. Schließlich sagte sie: »Also gut. Jeden Morgen Punkt halb neun, jeweils zwei Stunden. Ein Jahr lang, dreihundertfünfundsechzig Tage. Morgen früh fangen wir an.«

Harry stand auf, dankte und verabschiedete sich. Als er schon unter der Tür war, rief die Frau:

»Haroldo! Komm noch mal her, und mach die Tür zu.«

Harry gehorchte.

»Die Sauhunde – wie viele sind das?«

Harry machte ein langes Gesicht, dann wackelte er mit dem Kopf und nannte eine ungefähre Zahl.

»Morgen bringst du mir eine Liste. Namen, Adressen, wieviel sie von dir haben wollen. Und einen Auszug deines Kontos.«

»Ich habe kein Konto.«

»Dann dein Bargeld. Alles. Die Sache muß man in Ordnung bringen.«

An den drei folgenden Tagen erschien Harry pünktlich um halb neun zum Unterricht und lernte seine ersten dreißig Wörter Thai. Danke. Guten Morgen. Bahnhof. Wassermelone. Entschuldigung. Am vierten Tag verschlief er, weil er in der Nacht zuvor am traditionellen Billardturnier hatte teilnehmen müssen. Um Viertel vor neun stand der kleine Philosoph am Fußende seines Bettes und schraubte an Harrys großem Zeh, daß es schmerzte.

»Ola, Gonzalito – José. Was machst du denn hier?«

»Mama schickt mich.«

»Sag ihr, es tut mir leid.«

»Mama sagt, du sollst in zehn Minuten bei ihr sein.«

»Ich komme morgen wieder, ja?«

»Sonst ruft sie den Polizeichef in Puerto Vallarta an und sagt ihm, daß dein Visum seit fünf Jahren abgelaufen ist.«

In der Folge machte Harry Widmer junior die erstaunliche Erfahrung, daß er ein gelehriger und fleißiger Schüler sein konnte. Im bisherigen Verlauf seines Lebens war er nie in die Lage geraten, sein Gehirn wirklich anstrengen zu müssen, am allerwenigsten während der neun obligatorischen Schuljahre. Wenn er etwas kapierte, gut; wenn er es nicht kapierte, auch gut. Daß er die Schulzeit ziemlich mühelos hinter sich gebracht hatte, ließ immerhin auf eine gute Auffassungsgabe schließen, welche Harry junior aber nie unter Beweis gestellt hatte – bis zu dem Tag, an dem er bei Angelitos Ehefrau den Sprachunterricht aufnahm.

Als sich die Regenzeit ihrem Ende näherte, benötigte er keine Lehrbücher mehr, sondern unterhielt sich mit seiner Lehrerin fließend auf Thai. Sie brachte ihm Sitten und Gebräuche Thailands nahe, und er amüsierte sie mit den jeweils jüngsten Winkelzügen der heimatlichen Sauhunde oder mit den aufregendsten Kapiteln seiner eigenen Chronique scandaleuse. Und da sie sich einer Geheimsprache bedienten, die im Umkreis von Hunderten von Kilometern niemand beherrschte, konnte es nicht ausbleiben, daß sie einander ihre Geheimnisse anvertrauten. Die Frau gestand ihm, daß sie ihrem Angelito seit fünfzehn Jahren Hörner aufsetzte als Strafe dafür, daß er so ein weinerlicher Waschlappen war, und zwar mit dem hiesigen Grundschullehrer, einem einfältigen, aber gut gebauten Leichtathleten, der immer montags und donnerstags spätabends über den Hinterhof schlich und die Fassade hochkletterte, um die Nacht in der üppigen Fülle ihres Fleisches zu verbringen. Und Harry verriet der Frau, was er noch keinem verraten hatte: daß er es gewesen war, der den Abschiedszettel seiner Mutter als erster gelesen hatte, und daß er bei ihr gewesen war im Buchenwald hinter der Hasenweid. Und da er auf den ersten Blick gesehen hatte, daß da jede Hilfe zu spät kam, hatte er ihr ganz pragmatisch die Geldbörse aus der Schürze gezogen, damit sie nicht etwa ein Fremder stahl.

Wie im Flug vergingen die Tage, Wochen und Monate; am Ende der dreihundertfünfundsechzigsten Lektion nahm Harry Abschied von der Frau und schenkte ihr zum Dank eine schwere Halskette aus massivem Gold, deren Echtheit sie umgehend mit den Zähnen prüfte. Dann ging er die Treppe hinunter und trat hinaus auf den Dorfplatz. Schwere Regenwolken trieben schnell wie die apokalyptischen Reiter vom Meer her auf die Küste zu.

»Haroldo, Haroldo, Haroldo!« begrüßte ihn Angelito, der gerade seinen rosa Resopaltisch aus der aufziehenden Mittagshitze in die Kühle der Billardhalle trug. »Ist es wirklich schon halb elf? Sind schon wieder vierundzwanzig Stunden vergangen?«

»Leider. Tag für Tag geht ein Tag vorbei, Amigo.«

»Und eh man es sich versieht, ist ein Jahr um.«

»Genau.«

»Wir werden alle nicht jünger.«

»Und das Leben eines Menschen ist wie der Flügelschlag eines Falters.«

»Wer dessen flüchtige Schönheit nicht lieben kann, wird seines Lebens niemals froh.«

»Genau.«

Dann schwiegen sie. Angelito sog sein schütteres Schnurrbärtchen zwischen die Lippen. Harry packte einen Kaugummi aus, formte das Papier zu einer Kugel und schnippte es hinaus auf den Dorfplatz.

»Wann fährt dein Bus?«

»In einer Stunde.«

»Welche Gesellschaft?«

»Primera Uno.«

Angelito nickte. »Gute Wahl. Die sind die Besten.«

»Hier, der Schlüssel zum Bungalow.«

»Danke.«

»Der Ficus auf der Veranda braucht zweimal monatlich Wasser.«

»In Ordnung.«

»Nimmst du ihn zu dir?«

»Sicher, Haroldo. Mach dir keine Sorgen.«

»Ich mache mir keine Sorgen. Das hier sind die Schlüssel zum Surf-Corner. Und hier die zum Hotel. Deine Neffen sollen wieder aufsperren bei Saisonbeginn.«

»Sicher.«

»Die wissen ja, wie der Hase läuft.«

»Klar.«

»Und das hier – ist das Geld, das ich dir schulde.«

»Hm.«

»Samt Zins und Zinseszins.«

»Schaut sonderbar aus.«

»Nimm schon.«

»Und riecht komisch.«

»Das hat fünf Jahre bei mir im Spülkasten bereitgelegen. Aber du hast es nie abgeholt.«

»Du hast es nie erwähnt. Richtig eklig riecht das.«

»Riechen tut nur die Tüte, das Geld ist trocken. Nimm's halt raus.«

»Ich will es nicht.«

»Natürlich willst du's. Nimm es, und kein Wort mehr darüber.«

»Ich will es nicht.«

»Dann lasse ich es hier liegen.«

»Ich lasse es auch liegen.«

»Hm.«

»Liegenlassen können wir es auf keinen Fall. Sonst nehmen's meine Söhne und versaufen es.«

»Da müssen sie sich aber ranhalten, bei dem dicken Packen. Dauert mindestens ein halbes Jahr.«

»Und dann sind sie tot.«

»Das gibt Umtriebe.«

»Meine Frau macht mir die Hölle heiß.«

»Ich weiß was«, sagte Harry. »Wir verschenken es.«

»An wen?«

»Juanita.«

»Die alte Vettel? Die versäuft's in drei Wochen.«

»Hm.«

»Ja.«

»Was hältst du davon, wenn wir ihr damit ein Haus kaufen?« sagte Harry. »Dann kann sie's nicht versaufen und geht dir und den Jungs nicht mehr auf die Nerven. Das rote Häuschen hinter der Busstation vielleicht, das schon so lang leersteht.«

»Gute Idee. Und am Sonntag schieben wir ihr jeweils ein Paar Peso unter der Tür durch. Damit auch sicher Ruhe ist.«

»Genau. Erledigst du das für mich?

»Hm.«

»Machst du's?«

»Ja doch.«

»Nimmst du jetzt endlich den Packen?«

Dritter Teil

Die Heimreise wäre ereignislos verlaufen, wenn die DC 10 oder Mexican Airlines nicht siebenundvierzig Minuten nach dem Start über dem Golf von Mexiko in den Ausläufer eines Hurrikans namens »Veronica« geraten wäre, der zuvor Kuba und die Dominikanische Republik verwüstet hatte und jetzt Kurs auf New Orleans hielt. Als in der Economy-Class die Sauerstoffmasken aus der Deckenverschalung fielen, empfand das Harry Widmer junior als extrem unpassend. Mußte er wirklich sein Leben auf diese Art und zu dieser Stunde beschließen? Hatte er dafür ein Jahr lang Thai gebüffelt? den Sauhunden die Hälfte seines hart erarbeiteten Vermögens in den Rachen geworfen? beinahe das Rauchen aufgegeben? seinen gemütlichen Bungalow und den treuen Freund Angelito verlassen? Angewidert beäugte er die gelbe Maske, die an einem durchsichtigen Schlauch vor seinem Gesicht baumelte. Zum ersten Mal in fünfunddreißig Jahren zog Harry in Erwägung, daß der Tod nah sein könnte; bisher war es ihm unmöglich erschienen, daß der Zug seines Lebens tatsächlich vorzeitig aus den Schienen springen könnte, statt fahrplanmäßig durchzufahren bis zur fernen, fernen Endstation.

Erst war ein Schauer durchs Flugzeug gegangen, dann hatte das »Fasten your seat belt«-Zeichen aufgeleuchtet, und nachdem die Sauerstoffmasken heruntergefallen waren, hatte sich über Lautsprecher gut gelaunt und betont männlich die sonore Stimme des Kapitäns gemeldet. Turbulences, it's going to be a little bumpy, don't worry about the masks, die seien ein Versehen, und in zehn Minuten werde alles vorbei sein. Harry glaubte kein Wort. Die Maschine fiel in ein erstes Luftloch, dann in ein zweites und ein drittes, sie stieg und fiel und schlingerte nach allen Seiten, und jedem vernunftbegabten Wesen an Bord mußte klar sein, daß die Seitenruder futsch waren und mindestens zwei von vier Triebwerken außer Betrieb. Die Kabinenbeleuchtung ging aus und flackernd wieder an, die Gepäckfächer über den Sitzreihen klapperten wie Kastagnetten, durch den Mittelgang kullerten Weinflaschen und Coladosen, in der Bordküche löste sich der Getränkewagen aus der Halterung und schlug hart gegen die WC-Tür, die Stewardessen nahmen mit versteinertem Lächeln ihre Plätze ein und zurrten sich fest. Die Passagiere kreischten, fluchten und bekreuzigten sich. Wildfremde Menschen klammerten sich aneinander, Kinder weinten, Eheleute brüllten einander letzte Geständnisse zu, erwachsene Männer riefen nach ihrer Mama, und manche schrieben hastig letzte Grüße auf die Ränder ihrer Papierservietten.

Harry Widmer tat nichts von alldem. Erstens hätte er nicht gewußt, wem er was schreiben sollte, zweitens war sein Sinn für Metaphysik und Transzendenz von jeher schwach ausgebildet, und drittens konzentrierte er sich darauf, mittels Autosuggestion seinen empfindlichen Magen zu beruhigen. Aufrecht wie eine Pharaonenstatue saß er mit geschlossenen Augen da. Die Papiertüte, die er nach dem ersten Rumpler präventiv zur Hand genommen hatte, hatte er wieder weggesteckt; denn es schien ihm, daß sein Magen auf die Tüte mit verstärkter Unruhe reagiere. Viel hätte er darum gegeben, wenn nicht so ein Lärm geherrscht hätte um ihn her.

Aber dann ließen nach zehn Minuten wider Erwarten die Turbulenzen tatsächlich nach. Das Deckenlicht hörte auf zu flackern und brannte wieder gleichmäßig, der Lärm ging zurück auf das normale Dröhnen der Triebwerke, die Stewardessen machten sich ans Aufräumen und steckten die hundertachtzig Sauerstoffmasken zurück in die Deckenverschalung. Betretenes Schweigen machte sich breit. Die Passagiere lösten sich aus der Umklammerung ihrer Nachbarn und rückten beschämt Krawatten und Schulterpolster zurecht. Das »Fasten your seat belt«-Zeichen erlosch, der Kapitän machte ein paar aufmunternde Bemerkungen und wies die Stewardessen an, eine Extrarunde Drinks auszugeben. Dann stürmten auch schon die ersten Frauen zur Toilette, um ihr Make-up in Ordnung zu bringen, bevor sich vor der Toilette eine Schlange bildete, und die Männer verschanzten sich hinter ihren Zeitungen. Heikel war die Lage bei den Eheleuten, die voreinander letzte Geständnisse abgelegt hatten. Da gab es Paare, deren Scheidung bereits beschlossene Sache war; dann gab es jene, die ihre Geständnisse zurücknahmen oder nachträglich ins Scherzhafte umbogen; die klügsten Paare aber nahmen in gegenseitigem Einverständnis Zuflucht zu vorgeschütztem Schlaf, und nach dem Erwachen würden sie die erfahrenen Wahrheiten stillschweigend zu bösen Träumen erklären und im tiefsten Verlies ihres gemeinsamen Gedächtnisses verwahren.

Die DC 10 flog in die Nacht, ließ sich vom Jetstream über den Atlantischen Ozean tragen und erreichte im wolkenlosen Morgenrot die Westküste Irlands. Harry erwachte, weil ihm die aufgehende Sonne ins Gesicht schien. Er preßte die Stirn ans Fenster und sah tief unten zwei Fährschiffe, die hintereinander auf die walisische

Küste zusteuerten. Eine Stewardeß brachte ihm sein Frühstückstablett, und als sie ihm ein zweites Mal Kaffee nachgoß, zog unten schon der Ärmelkanal vorbei, und dann die Normandie, Paris, das Elsaß und der Rhein.

Sechseinhalb Jahre waren vergangen seit Harry juniors überstürzter Flucht. In der Zwischenzeit war der Komet Shoemaker-Levy 9 mit dem Planeten Jupiter kollidiert, und der drei Kilometer große Hyakutake war in nur neunkommadrei Millionen Kilometern Entfernung an der Erde vorbeigeflogen; auf der Erde hatte sich das Klima erwärmt und waren ein paar hunderttausend Hektar tropischen Regenwalds verschwunden; die Sowjetunion war zusammengebrochen, Europa hatte eine Union gebildet, und das Internet hatte sich ausgebreitet bis in die hintersten Talschaften der Anden, Alpen und Karpaten; es waren Seuchen ausgebrochen und wieder verschwunden, im Irak hatten die Ölfelder gebrannt, in Südafrika war nach dreihundertzweiundvierzig Jahren die Apartheid zu Ende gegangen, und überall auf der Welt hatten größenwahnsinnige Sektenführer ihre Gemeinden in den kollektiven Suizid geführt; Erich Honecker war nach Chile geflohen, Klonschaf Dolly war geboren, Michael Schumacher hatte sein erstes Formel-1-Rennen gewonnen, und in den Ötztaler Alpen hatte ein Gletscher nach viertausendsiebenhundert Jahren die bemerkenswert frische Mumie eines Jägers freigegeben; dann hatte auch noch der russische Präsident vor laufenden Fernsehkameras einer fremden Frau an die Brust gegriffen, O. J. Simpson war vom Vorwurf des Mordes freigesprochen worden, und den schiefen Turm von Pisa hatte man um ein paar Grad näher an die Vertikale gerückt.

In dieser langen Zeit hatte Harry seinem Freund Angelito oft von der Heimat erzählt, und zwar ohne Nostalgie und Bedauern. Aber nun, da die Maschine sanft gelandet war und er die vertrauten Fingerdocks des Flughafens durchschritt, deren Gummigeruch einsog und dem kehligen Dialekt lauschte, den man hier sprach – da fühlte er sich wieder ganz zu Hause. Und seltsamerweise befiel ihn erst jetzt die Traurigkeit des Heimatlosen, Vertriebenen, Verlorenen; denn erst im Moment der Heimkehr wurde ihm bewußt, daß die Zentrifugalkraft der Zeit ihn unwiderruflich entfernt hatte von der Welt seiner Kindheit und Jugend.

Schon der Zöllner an der Paßkontrolle war eine Enttäuschung. Er winkte Harry mit einer mürrischen Handbewegung durch und wollte nicht einmal dessen Paß sehen, der übrigens abgelaufen war. Dabei hatte sich Harry die Rückkehr immer in den dramatischsten Farben ausgemalt: klickende Handschellen, Interpol, Blaulicht, Einzelhaft, Prozeß, Blitzlichtgewitter, hämisch grinsende Sauhunde auf der Zuschauertribüne des Gerichtssaals. Und jetzt geschah gar nichts. Hatten die Sauhunde es also nicht einmal für nötig erachtet, ihn anzuzeigen und international zur Fahndung auszuschreiben. Anscheinend waren sie sich sehr sicher gewesen, daß er früher oder später angekrochen käme. Und tat er das etwa nicht? Während er an der Gepäckausgabe auf seine Reisetasche wartete, zog er in Erwägung, gleich wieder abzureisen. Aber dann erinnerte er sich daran, daß er ja nicht wegen der Sauhunde hier war. Entschlossen pflückte er seine Tasche vom Förderband.

Harry war beeindruckt von der Stahl- und Glaskonstruktion des Flughafens, den schicken Uniformen des Bodenpersonals, der routinierten Langeweile der Geschäftsreisenden, den edlen Werbeplakaten für Schweizer Uhren und schottischen Whisky und deutsche Autos; so etwas hatte er lange nicht gesehen. Über Rolltreppen und Rolltreppen stieg er hinunter in den unterirdischen Bahnhof, wo auf Gleis vier ein Zug bereitstand, der ihn in dreiundvierzig Minuten nach Hause fahren würde. Eine Leuchtschrift an der offenstehenden Tür führte die Ortsnamen der nächsten Stationen auf, und der vierte war jener seines Heimatstädtchens. Bei dessen Anblick befiel Harry Bangigkeit, und er trat von einem Bein aufs andere, wackelte mit dem Kopf und wartete, bis sich die Tür zischend schloß und der Zug abfuhr. Dann machte er es sich auf der Reisetasche bequem und rauchte eine Zigarette. Er spazierte vom einen Ende des Bahnsteigs zum anderen und wieder zurück, nahm eine Gratiszeitung aus dem Ständer und blätterte sie durch. Als der nächste Zug einfuhr, konnte er sich wieder nicht zum Einsteigen entschließen. Argwöhnisch musterte er die ein- und aussteigenden Reisenden und stellte fest, daß niemand ihn beachtete; dabei mußten ihm die letzten Jahre seines Lebens doch ins Gesicht geschrieben stehen. So fuhr auch dieser Zug ab, und dann noch einer und noch einer, während Harry schnaubte und schluckte, sich den Nacken rieb, Speisereste zwischen den Zähnen heraussog und den Hemdkragen zurechtzupfte; aber als der fünfte Zug einfuhr, schwang er sich endlich entschlossen die Reisetasche auf den Rücken und stieg ein. Dreimal würde der Zug halten, bevor er im Städtchen einfuhr. Dreimal würden die Türen jeweils zwei Minuten offenstehen. Dann konnte es immer noch geschehen, daß Harry auch beim vierten Halt nicht ausstieg, weil er beispielsweise eingeschlafen war, und daß der Zug ihn weitertrug und immer weiter, bis nach Spanien oder Portugal, oder noch weiter fort.

3

Gerne wäre Harry bei seinem ersten Spaziergang durch die heimatlichen Gassen zu dem Schluß gekommen, daß das Städtchen nicht wiederzuerkennen war. Aber das wäre nicht wahr gewesen. Wohl hatte sich einiges verändert, aber das Städtchen war das gleiche geblieben. Haargenau das gleiche. Schon bei der Einfahrt in den Bahnhof, bei den ersten Blicken auf die vertrauten, erratisch unverrückbaren Straßen und Häuserzeilen, hatte er festgestellt, daß die Sauhunde in seiner Abwesenheit ganze Arbeit geleistet hatten: Wo früher brombeerenumrankt die alte Seifenfabrik gestanden hatte, prangte jetzt riesig viereckig und leberkäsefarben das neue Gewerbeschulhaus. Die Kreisdirektion der Telekom hatte ihre Aluminiumfassade durch eine marmorne ersetzt, und die Bahnhofbrücke hatte eine neue Beleuchtung bekommen. Die Spanische Weinhalle in der Altstadt war jetzt eine Kleiderboutique, der Tabakladen eine Import-Parfümerie, und das Kino Rex war tatsächlich kein Sex-Kino mehr, sondern hieß jetzt Tiffany und hatte den neuesten James-Bond-Film programmiert. Eines sonnigen Septembertages nämlich hatte in der Nachmittagsvorführung ein pensionierter Sekundarschullehrer in der vordersten Sitzreihe eine Herzattacke erlitten und war acht Stunden vor dauerkopulierendem Panorama sitzen geblieben, bis nachts um halb eins die Deckenbeleuchtung anging und die Putzkolonne ihn fand. Die herbeigerufene Polizeistreife hatte festgestellt, daß der Pensionist kein Einheimischer war, sondern dem Lehrkörper des Nachbarstädtchens angehört hatte. Das aber hatte die hiesigen Pädagogen, die um ihren Ruf fürchteten, nur halbwegs beruhigt, weshalb sie umgehend eine Leserbriefkampagne im »Tagblatt« starteten, in der sie ihrer Sorge um die seelische Entwicklung der Jugend Ausdruck gaben, worauf die christlichsozial dominierte Kulturkommission die Schließung des »Rex« erwirkte. Hartnäckig aber hielt sich in der Folge das Gerücht, daß hiesige Pensionisten ihrerseits zwecks unerkannter Zerstreuung gern ins Nachbarstädtchen fuhren.

Wenige Schritte hinter dem Kino hatte es in der Marktgasse seit Menschengedenken eine ökumenische Devotionalienhandlung gegeben, in deren Schaufenster die immer gleichen Kruzifixe, Taufkerzen und Krippenspiele verstaubten; jetzt war das Fenster beklebt mit vornehm hellgrauer Pergamentfolie, und am oberen Rand stand »Consulting-Engineering Dipl.-Ing. Willy Sturzenegger«. Schau an, dachte Harry, hat es der dumme Willy also doch noch geschafft. Harry schielte zur Glastür hinein, die nicht verklebt war – und dort saß der dumme Willy! Noch ein bißchen dicker geworden vielleicht und schon ein wenig kahl, in Anzug und Krawatte und ernst und geschäftig hinter einem furchteinflößend großen Computerbildschirm und mit einer pompösen Weltkarte im Rücken – aber unverkennbar der dumme Willy. Consulting-Engineering. Armer Willy! Der Prügelknabe aller Prügelknaben war er gewesen, eine ganze Kindheit und Jugend lang. Wenn Harry junior auf dem Pausenplatz eine Demonstration seiner neuesten Judo-Tricks zum besten gab, hatte der gutmütige Willy als Sparringspartner herhalten müssen; wenn die Jungs im Wald eine Hängebrücke über den Bach bauten, hatten sie als abschließende

Belastungsprobe den dicken Willy hinübergeprügelt; wenn man Geld brauchte, hatte man es aus Willy herausgeschüttelt; und was die Mädchen sich für Grausamkeiten hatten einfallen lassen mit dem X-beinigen, ungeschlachten und pockennarbigen Willy ... du meine Güte. Aber am meisten gelitten hatte Willy unter dem Ehrgeiz seines Vaters, des stadtbekannten Dipl.-Ing. Walter Sturzenegger, der seinen Sohn eher den Wölfen zum Fraß vorgeworfen hätte, als ihm die endlose Marter von Privatschulen und Internaten zu ersparen, die sein schlichtes Gemüt zur Hochschulreife treiben sollten. Auch als Willy im Alter von neunzehn Jahren endlich ein Mädchen namens Elvira abbekam, war das keine Wende zum Besseren. Denn erstens kompensierte Elvira fehlenden Liebreiz nicht etwa mit einem sanften, gewinnenden Wesen, sondern kultivierte im Gegenteil das Gemüt eines Dobermanns; und zweitens war schon nach einem halben Jahr augenfällig, daß er sie würde heiraten müssen, sehr zum Ärger des Brautvaters Erwin Waldvogel-Randeisen, seines Zeichens Direktor der städtischen Handelsbank, der für seine erstgeborene Tochter wesentlich ehrgeizigere Pläne gehabt hatte als Mesalliance und vorzeitige Mutterschaft. Der dumme Willy war klug genug, um zu erkennen, daß er als ungeliebter Sohn und Gatte, unwillkommener Schwiegersohn und unreifer Vater seines Lebens niemals froh werden würde. Als im folgenden Winter die Welt für die üblichen hundert Tage unter einer bleigrauen Hochnebeldecke verschwand, lieh Willy spätabends den väterlichen Jaguar aus und fuhr tief hinein in den unberührten Tannenwald, der sich von der A 1 bis zum Staketenzaun des Atomkraftwerks erstreckte. Mit an Bord hatte er fünf Meter Gummischlauch, drei Rollen Klebeband, einen halben Liter Strohrum sowie sechs Tabletten Valium 300, die er der Mutter entwendet hatte. Den Schlauch führte er ordnungsgemäß vom Auspuff durchs Seitenfenster in die Fahrerkabine und deckte alle Spalten mit Klebeband zu. Dann schluckte er die Tabletten und spülte mit Strohrum nach, startete den Motor, klappte die Lehne seines Sitzes nach hinten und schob eine Best-of-CD von Elton John ein, die ihm für den Anlaß geeignet schien. Nun mußte Willy aber feststellen, daß die Abgase des V8-Motors scheußlich stanken und daß er nicht unter dem Eindruck dieser sinnlichen Belästigung ins Jenseits gehen wollte. Also stellte er den Motor ab und nahm sich vor, den Zündschlüssel erst wieder zu drehen, wenn die Tabletten und der Schnaps die Empfindsamkeit seiner Nase genügend herabgesetzt hätten. Leider aber verpaßte er diesen Augenblick, so daß er acht Stunden später im Morgengrauen aufwachte, und zwar völlig durchfroren und mit gänzlich diesseitigen, vom Strohrum verursachten Kopfschmerzen. In der Enttäuschung über den Fehlschlag fuhr er rückwärts zurück auf die Hauptstraße, wo er nach kurzer Fahrt das Bewußtsein verlor, weil er im Dusel vergessen hatte, den Schlauch zu entfernen. Der Jaguar kippte im Straßengraben zur Seite und schlitterte noch eine Weile dahin, bevor er mit hoffnungslos verschobener Fahrwerkgeometrie an einer jungen Birke zum Stillstand kam. Dem Vernehmen nach soll der dumme Willy sehr verärgert gewesen sein über den Umstand, daß er selbst nicht den geringsten Kratzer davontrug; im Krankenhaus, wohin man ihn vorsichtshalber trotzdem brachte, soll er Ärzte und Krankenschwestern beschworen haben, mit ihm doch keine Umstände zu machen, weil er sowieso bei der nächsten Gelegenheit ... Aber genug davon.

Die Wahrheit war: Das Städtchen hatte sich überhaupt nicht verändert. Kein bißchen. Nicht im geringsten.

Harry erwog einen Augenblick, die Glastür aufzustoßen, den dummen Willy zu grüßen, vielleicht mit ihm einen Kaffee zu trinken und sich zu erkundigen, wie es ihm ergangen war. Aber dann ließ er es bleiben; Willy hätte sich wohl nicht gefreut, ihn zu sehen. Harry Widmer verstand das. Würde irgend jemand im Städtchen sich freuen, ihn zu sehen? Würde jemand seine Heimkehr begrüßen? Die Sauhunde vielleicht? Bestimmt saßen ein paar von ihnen jetzt gerade im nahen »Rathskeller«, schlürften Kaffee und verdauten ihren Busineß-Lunch. Der Rover des Baulöwen R. R. jedenfalls stand dort vorne mitten im Halteverbot, und wie immer klemmte kein Strafzettel unter dem Scheibenwischer; denn wie die Mehrzahl der Sauhunde genoß er im Städtchen ganz informell Immunität vor dem Straßenverkehrsgesetz. Sollte er in den »Rathskeller« gehen? eine Runde ausgeben und den Wasserstand messen? die Temperatur fühlen? die Großwetterlage abschätzen?

4

Es war ein zauberhafter Frühlingstag. In den Bergen schmolz der Schnee, der Fluß war angeschwollen. Am Ufer blühte weißer Flieder. Drei Entenfamilien paddelten gegen die glitzernde Strömung, und es roch nach eintrocknenden Sandbänken und nach dem Rollsplitt, der sich im Winter in den Rinnsteinen gesammelt und mit den Konfetti des Karnevals zu einer grauen Masse vermengt hatte; es roch nach dem Teer im sonnenwarmen Eichengebälk der alten Holzbrücke, nach den Abgasen der Zweitakt-Roller, auf denen junge Burschen über den Postplatz fuhren, und nach dem Waschmittel, das palettenweise an der Rückseite des Coop City angeliefert wurde; es roch nach den süßen Parfüms der Türkenmädchen, die in ihren geblümten Röcken Arm in Arm durch die Altstadt schlenderten, nach feuchter Erde aus den Baugruben, nach Desinfektionsmittel in den Ladenpassagen und nach den Zigarren alter Männer, die in die Baugruben hinunterstarrten – und all das zusammengenommen ergab einen Geruch, den Harry Widmer tief in sich einsog und den er im Leben nur hier, und nirgendwo sonst auf der Welt, finden würde.

Harry machte sich auf, um das Grab seines Vaters zu besuchen. Der Friedhof lag am Stadtrand; das heißt, er lag, wo hundert Jahre zuvor Wiesen und Wälder begonnen hatten. Jetzt begannen dort die sonnigen Villenvororte, in denen glückliche Menschen wohnten, was niedrige Sozialkosten zur Folge hatte und also auch niedrige

Steuersätze, was wiederum zur Erhöhung des Wohlbefindens beitrug und den Zuzug weiterer glücklicher Menschen förderte. Und falls diese Spirale des Glücks einmal gestört wurde, weil sich ein Bürger als kostspieliger Trinker, Drogenkranker, Hochstapler oder sonstwie chronischer Tunichtgut entpuppte, ließ man den Unglücklichen gern in die Stadt übersiedeln, die im Umgang mit solcher Kundschaft ja Übung hatte und – dank eines traditionell höheren Steuersatzes – auch die nötigen Mittel.

Die Straßen dieser Villenvororte waren nicht einfach Straßen, sondern sogenannte Wohnstraßen, die aussahen wie Minigolfanlagen mit ihren grünen Verkehrsinselchen allenthalben und dem schmucken Kopfsteinpflaster und den separaten Radwegen und den Kamelbuckeln alle paar Meter. Die Wohnstraße, durch die Harry auf seinem Weg zum Friedhof zog, war menschenleer; das einzig Lebendige waren die bunten Sperrholzfiguren, die links und rechts an den Gartenzäunen befestigt waren und die allenfalls vorbeifahrende Automobilisten auf eventuell hier spielende Kinder aufmerksam machen sollten. Auf den ersten Blick war zu erkennen, daß die Sperrholzfiguren alle von derselben Hand gemacht waren – von der Hand Luciano Studers nämlich, mit dem Harry die Grundschule besucht hatte und auf dessen künstlerisches Talent die Lehrer schon früh aufmerksam geworden waren. Während die anderen Kinder noch mit Fettstiften Hänsel und Gretel und die böse Hexe malten, hauchte Luciano schon die zartesten Aquarelle aufs Papier, und von Märchengestalten wollte er nichts wissen. Luciano malte das Zementwerk im Morgennebel, die Bahnhofshalle in der Abendsonne, die schneebedeckte Ruine des Kaufhauses, das zehn Jahre zuvor bankrott gegangen

war. Und wenn der Lehrer sein Gehalt rechtfertigen wollte und ihm einen Strauß Tulpen vor die Nase stellte,
malte Luciano unbeirrt eine Shell-Tankstelle – und auf
seiner Tankstelle war das Neonlicht derart grün, und die
Frau an der Zapfsäule war so einsam, und das große,
alles überspannende Dach ragte derart kühn und rotgelb
in die Nacht hinaus, daß der Lehrer ein Einsehen hatte
und seine Tulpen hinüber ins Lehrerzimmer trug. Nach
der Grundschule verschaffte Luciano sich Zutritt zur
Kunstakademie und drei Jahre später zur Meisterklasse –
aber dann kam der Tag, an dem sein älterer Bruder, der
im Villenviertel ein Haus gekauft hatte, ihn um Anferti-
gung von zwei Sperrholzkindern bat. Luciano erfüllte
den Wunsch mit Fleiß und Liebe, und die Sperrholzkinder
gerieten derart hübsch und fröhlich und lebensnah, daß
auch der Nachbar des Bruders eine Bestellung aufgab
und dann dessen Nachbar und dessen Nachbar auch. Als
sich die Bestellungen häuften, unterbrach Luciano, der
chronisch in Geldnöten steckte, das Studium für ein Se-
mester; nach einem halben Jahr aber war der Stapel un-
erledigter Bestellungen nicht etwa abgetragen, sondern
auf die doppelte Höhe angewachsen, und Luciano miete-
te eine kleine Fabrikhalle und stellte drei Mitarbeiter ein.
Wenige Jahre später hing die ganze Stadt voll von Lucia-
nos Sperrholzkindern, und ein Großteil der Produktion
ging nach Japan und den USA, und nur ganz selten, wenn
die Abende lang waren und vom anderen Ende der Stadt
schemenhaft die Skyline des Zementwerks grüßte ...
aber jetzt wirklich genug davon. Das Städtchen war genau das gleiche geblieben, und damit Schluß. Harry Widmer ließ die Wohnstraße hinter sich und stieß das Tor
zum Friedhof auf.

Das Grab des Vaters mußte er nicht suchen. Der Senior

hatte gleich ein Familiengrab gekauft, als seine Frau gestorben war, und in den grauen Marmor hatte er neben ihren Namen auch seinen eigenen meißeln lassen, so daß man später nur noch die Lebensdaten eintragen mußte. Der Junior hatte sich damals sehr dagegen wehren müssen, daß auch er vorsorglich im Marmor verewigt wurde. Harry fiel auf, daß das Grab liebevoll gepflegt war; der Stein war frei von Moos und Flechten, die Blumenrabatte frisch bepflanzt. Von wem? Er ließ seine Tasche auf den Kiesweg fallen, setzte sich darauf und stützte den Kopf in beide Hände. Und dann fühlte er, wie ihm ein Brennen in die Augen stieg.

»Hallo! Ich muß schon sagen ... entschuldigen Sie ... sind Sie vielleicht Harry Widmer? Der Junior?«

Eine dünne, hohe Stimme hatte Harry von schräg hinten angesprochen. Er wandte sich ganz von ihr ab, wischte mit Daumen und Zeigefinger über die Augen und hoffte, daß der Besitzer der Stimme ein Einsehen haben und ohne weitere Konversation von ihm ablassen würde.

»Herr Widmer? Hallo? Sind Sie das? Zurück aus Mexiko?«

»Wer will das wissen?« Harry kapitulierte, stand auf und wandte sich der Stimme zu. Vor ihm stand ein verschwitzter, atemloser Bub von etwa fünfzig Jahren, dessen Leibesfülle in erstaunlichem Gegensatz stand zu seiner dünnen Stimme. Er hatte eine randlose Brille und rote Wangen im runden, glattrasierten Gesicht, und er trug Joggingschuhe und einen lila-lindengrünen Trainingsanzug aus Ballonseide. In der linken Hand hatte er ein Einkaufsnetz, in dem eine Flasche Karottensaft, ein Camembert sowie eine Packung Knäckebrot zu sehen waren.

»Verzeihung. Salzmann mein Name ...«

»Salzmann?«

»Othmar Salzmann. Sie kennen mich nicht.« Herr Salzmann riß begeistert die Augen auf und schüttelte ungläubig den Kopf. »Ich bin vor zwei Jahren zugezogen. Da waren Sie schon weg.«

»Sehr erfreut. Auf Wiedersehen.«

»Aber ich kenne Sie! Gehört habe ich von Ihnen ... viel! Die Leute reden, wissen Sie? Sie müssen die Störung schon entschuldigen, aber daß ich Ihnen hier begegne ...«

»Woher sind Sie zugezogen, haben Sie gesagt?«

»Ich habe nichts gesagt. Aus Meisterschwanden.«

»Ist es in Meisterschwanden ortsüblich, auf dem Friedhof zu joggen?«

»Ich ...«

»Hier ist es nicht üblich.«

»Erlauben Sie, ich jogge nicht!«

»Sie sind atemlos und verschwitzt, und Sie tragen Trainingsanzug und Joggingschuhe.«

»Das ist mein Freizeitanzug!«

»Ich zeige Sie an wegen Störung der Totenruhe, Herr Othmar Salzmann. Darauf steht Gefängnis.«

Herr Salzmann lachte unbehaglich. »Ich bitte Sie, ich bin Beisitzer der evangelischen Kirchenkommission, und dort hinten liegt das Grab meiner Frau. Sie ist letzten Dezember gestorben. Leberkrebs.«

»Mein Beileid. Und jetzt hauen Sie ab, Mann.«

»Ich habe Sie mir anders vorgestellt, wissen Sie? Irgendwie – grimmiger. Man erzählt sich aber auch Sachen über Sie!«

»Schnauze. Abhauen.«

»Ich will ja jetzt nicht ... sozusagen auf dem Grab Ihrer Eltern ... aber ich möchte zu gern wissen ... die Sache mit dem Schwangerschaftstest ... stimmt die?«

»Jetzt aber abhauen.«

»Köstlich! Was habe ich gelacht!«

»Abhauen! Sonst lass' ich meinen Hund von der Leine.«

»Welchen Hund?« Herr Salzmann schaute erschreckt um sich. Als er keinen Hund entdecken konnte, faßte er wieder Mut. »Verraten Sie mir doch bitte, haben Sie wirklich in Mexiko, in ... wie heißt das Kaff nochmal, einen Surfbrett-Verleih ... stimmt das? Mit einem Haifischkopf obendrauf?«

Da Herr Salzmann mit beiden Armen die Kaubewegungen der Haifischkiefer imitierte, wuchs in Harry immer dringender das Bedürfnis, ihm die Faust ins Gesicht zu schlagen. Er drehte sich auf dem Absatz um, hob seine Reisetasche auf und ließ Herrn Salzmann stehen. Er würde jetzt ein Zimmer nehmen und sich darin verstecken his zum Einbruch der Dunkelheit. Harry wählte das Hotel »Storchen«; das war kürzlich von einer amerikanischen Kette übernommen worden und beschäftigte vorwiegend auswärtiges Personal.

5

Es war kurz nach zweiundzwanzig Uhr, als er klopfenden Herzens die Piano-Bar betrat. Sein erster Blick galt dem Whisky-Regal: Die Schere war weg. Und hinter dem Tresen stand eine junge Frau mit blondem Pferdeschwanz und langem Hals, die vermutlich Tamara Müller hieß. Sie trug ein nabelfreies Top und eine schwere Eisenkette um die Hüfte, und sie machte ein Gesicht, als ob sie tief gekränkt sei über die ungerechte Tatsache, daß sie eben Tamara Müller war und nicht Britney Spears. Die Blütezeit des Lokals war augenscheinlich vorbei; nur zuvorderst am Tresen, wo Tamara am Zapfhahn hantierte, saßen drei einsame Herzen und gafften, und in einer schummrigen Ecke schmuste ein unidentifiziertes Paar. Soweit Harry die Lage überblickte, war unter den Anwesenden kein Einheimischer. Keiner von den Sauhunden jedenfalls. Er setzte sich an seinen Stammplatz am anderen Ende des Tresens und bestellte einen Single Malt.

»Arbeitet Nancy heute nicht?«

»Wer?« schnappte Tamara und schürzte mißtrauisch die Lippen.

»Nancy.«

»Längst nicht mehr.«

»Überhaupt nicht mehr?«

»Hier arbeite nur ich.« Tamara steckte sich mit ungeduldigen Bewegungen eine Zigarette an und blies den Rauch zur Decke hoch. »Sie sind nicht von hier, wie?«

»Ich war eine Weile weg.«

»Sieht man.«

»Woran?«

»Was weiß ich. Haarschnitt.«

»Ach ja? Woran sonst noch?«

»Zigarettenpackung. Komische Steuermarke.«

»Verstehe.«

»Fremdes Geld im Portemonnaie.

»Aha. Darf ich Ihnen etwas offerieren?«

»Komisches Hemd. Arabisch oder so.«

»Möchten Sie etwas trinken?«

»Nein.«

»Bitte.«

»Na gut.«

»Was?«

»Tonic.«

Um sich für ein paar Minuten Tamaras ungeteilte Aufmerksamkeit zu erkaufen, gab Harry auch den drei einsamen Herzen einen aus. Und wenig später hatte ihm Tamara in ihrem energiesparenden Telegrammstil alles mitgeteilt, was er wissen wollte.

Nach Harrys Flucht hatte Nancy die Piano-Bar noch drei Jahre weitergeführt. Die Schwangerschaft hatte ihrer Popularität keinen Abbruch getan, im Gegenteil: In den verqueren Köpfen der Männer hatte der schnell wachsende Bauch eine zusätzliche, besonders prickelnde Note hinzugefügt zu den Verheißungen der Großen Schere. Um das florierende Geschäft nicht aufgeben zu müssen, ließ Nancy kurz vor der Niederkunft ihre Mutter aus Thailand einfliegen und übergab das Baby ihrer Obhut. Nach gut tausend Nächten in der Piano-Bar hatte sie genug Trinkgelder eingenommen, um die Große Schere beiseite legen zu können, ohne daß sie je für etwas anderes Verwendung gefunden hätte als fürs Aufschneiden von

Orangensaftpackungen. Nancy eröffnete ein kleines thailändisches Speiselokal, und zwar nicht als Pächterin, sondern als Inhaberin.

»Wo ist denn das Restaurant?«

»Kennen Sie sich aus in der Stadt?«

»Ich glaube schon.«

»Wo Widmers Fahrradwerkstatt war?«

»Hm.«

»Dort ist es.«

»In der Werkstatt?«

»Na ja, es sieht jetzt anders aus.«

»Wurde die Werkstatt ... umgebaut?«

Tamara nickte. »Nachdem der junge Widmer abgehauen ist. Haben Sie den gekannt?«

»Flüchtig.«

»Dreckskerl.«

»Haben Sie ihn gekannt?«

»Da war ich noch klein.« Sie schüttelte den Kopf, daß ihr Pferdeschwanz von einer Schulter zur anderen tanzte. »Zum Glück war noch der alte Widmer da.«

»Hat der sich gekümmert?«

»Rührend. Besonders nach der Geburt des Kleinen.«

»Ist ja auch sein Enkel.«

»Genau.« Plötzlich musterte Tamara den fremden Kunden mißtrauisch. Eben noch hatte sie diesen Mann gar nicht übel gefunden, aber jetzt war er ihr nicht mehr geheuer. Plötzlich hatte ihr weiblicher Instinkt etwas Falsches in seinem anbiedernden Interesse gewittert. Jetzt wollte sie nur noch weg von ihm, das Gespräch mit einer nicht einklagbaren Grobheit beenden, und dann weg. Als sie weitersprach, hatte sie das Gesicht von Harry abgewandt, und ihr Blick ging in die Ferne.

»Dieser verdammte Dreckskerl«, sagte sie mit Nachdruck, und ihre Stimme klang jetzt hart, metallisch. »Aber der Alte, das war ein Mann! Solche Männer gibt's heute nicht mehr. Ein Herz und eine Seele waren die drei, das hätten Sie sehen sollen. Gingen jeden Nachmittag am Fluß spazieren. Die Leute dachten schon, der Senior sei der Vater des Kleinen.«

»Aha.«

»Sind zusammen nach Mallorca in die Ferien gefahren. Drei oder vier Mal, glaube ich. An Weihnachten hat er immer den Christbaum gebracht. An Ostern die Eier versteckt. Und der Dreckskerl hat sich nie gemeldet.«

»Nie?«

6

Unterdessen war ein Regenschauer übers Land gezogen. Harry stand auf dem Parkplatz, auf dem früher immer sein Cherokee Chief gestanden hatte, und rauchte eine Zigarette im Stehen. Der Asphalt duftete, die Lüftung der Piano-Bar summte, der Mond spiegelte sich auf den nassen Dächern der geparkten Autos. Dann machte Harry sich auf den Weg – zu Fuß. Das fühlte sich seltsam an. Er konnte sich nicht erinnern, die Strecke je zu Fuß zurückgelegt zu haben.

Schon von weitem konnte er die Leuchtschrift sehen. Rot schimmerte ihr Widerschein auf der Straße, und Harry wunderte sich: War das nicht seine Schrift, die er vor vielen Jahren eigenhändig auf dem Vordach angebracht hatte unter Schimpfen und Fluchen, weil immer der eine oder andere Buchstabe nicht hatte leuchten wollen? Nein, es war nicht seine Schrift. Wie er im Näherkommen feststellte, stand dort oben NANCY'S CRAZY THAI-SHOP.

Es war wohl kurz vor der Sperrstunde, als Harry den Vorhang aus Perlenschnüren beiseite schob, eintrat – und erstarrte. Der Raum, in dem jahrzehntelang schwarz und schmierig die Widmersche Fahrradwerkstatt zu Hause gewesen war und rechts daneben die Pferdemetzgerei Hauri; das Gemäuer, in dem Harry seine Kindheit und Jugend verbracht hatte, die ersten Triumphe in freiem Unternehmertum gefeiert und die bitterste Niederlage erlitten hatte; dieser Saal war jetzt, was soll man sagen –

eine Pagode, eine Opiumhöhle, ein siamesisches Lust-schloß. Die Wände leuchteten von roter Seide, zwischen den Tischen standen chinesische Paravents, und über allem spannte sich reich verziert eine goldene Kuppel. Woher das spärliche Licht kam, war nicht auszumachen. Harry klopfte mit dem Knöchel des rechten Mittelfingers gegen den goldenen, panasiatischen Triumphbogen, der die Eingangstür umrahmte; dem Klang nach zu urteilen, war er aus Styropor. Er ging ein paar Schritte vorwärts und schaute sich um. Kellner war keiner zu sehen, und die Tische waren frei bis auf den hintersten ganz rechts, an dem zwei Feuerwehrmänner in Uniform saßen und Händchen hielten. Harry glaubte sich getäuscht zu haben und sah nochmal hin – sie hielten tatsächlich Händchen. Er ging zum nächstliegenden Tisch und setzte sich hin.

Am anderen Ende des Lokals, wo früher das ver-chromte Regal mit den Accessoires gestanden hatte, befand sich der Tresen. Und hinter dem Tresen stand Nancy und polierte Weingläser. Es schien Harry, daß ihr die Jahre nichts hatten anhaben können. Vielleicht traten die Wangenknochen jetzt etwas schärfer hervor und trug sie das Haar etwas kürzer; aber mehr denn je strahlte sie die Ruhe und den Frieden eines Menschen aus, der mit sich im reinen ist. Sie war ständig in Bewegung: drei Schritte nach links, um die polierten Gläser ins verspiegelte Regal zu stellen, drei Schritte nach rechts, um zwei Gläser aus der Spülmaschine zu nehmen, dann wieder drei Schritte nach links. Fasziniert verfolgte Harry Widmer das Schauspiel. Hinter dem Tresen war nur Nancys obere Hälfte zu sehen, und die pendelte so weich und fließend hin und her, daß man glauben mochte, sie trage Rollschuhe.

Wenn sie ihn gesehen hatte – und das hatte sie bestimmt, denn jeder Wirt behält seinen Eingang im Auge –, so ließ sie sich das nicht anmerken. Die demonstrative Nichtbeachtung bedeutete aber auch, daß sie ihn auf den ersten Blick erkannt hatte. Und da sie bei seinem Eintreten kein Zeichen von Überraschung gezeigt hatte, mußte sie jemand gewarnt haben. Endlich warf sie das Handtuch über die Schulter, durchquerte ohne Eile das Lokal und blieb vor seinem Tisch stehen.

»Grüß dich, Harry.« Ihre vertraute blecherne Stimme ging Harry durch und durch. »Lange nicht gesehen.«

»สวัสดี คุณดูดีมาก เวลาไม่ทำให้คุณเปลี่ยนแปลงเลย«

»Danke! Was möchtest du trinken – einen Single Malt?«

»ถ้าไม่เป็นการถ่อมตัว ฉันหิว«

»Die Küche ist eigentlich geschlossen.«

»ไม่ต้องเรื่องมากหรอก อะไรก็ได้«

»Doch, laß mal. Ich will schauen, was ich machen kann.«

»ฉันไม่อยากเป็นตัวถ่วงเธอ«

»Nein, es macht keine Umstände. Deine Aussprache ist übrigens sehr gut. Fast kein Akzent.

»Danke.«

»Du bist in der Gegend von Khon Kaen aufgewachsen, weißt du das? Ein feiner Pinkel aus gutem Haus.«

Nancy verschwand in der Küche. Kurz darauf standen die zwei Feuerwehrmänner auf, schnallten sich allerhand Äxte und Seile und Taschenlampen um und verließen das Lokal. Harry Widmer war allein. Er spielte mit der Papierserviette, suchte in seinen Taschen nach Zigaretten, fand aber nur Kaugummi. Nancy kehrte mit einer Flasche Wein, Hühnersuppe und Rindscurry zurück, und er bedankte sich und fing an zu essen.

»Schmeckt großartig«, sagt er. »Kochst du selbst?«

»Ich mache alles selbst«, sagte sie. »Das weißt du doch.«

»Gratuliere. Du bist die Königin.«

Nancy legte den Kopf in den Nacken und ließ ihr blechernes Lachen hören. »Ich mache alles selbst«, wiederholte sie. »Sogar die Leuchtschrift draußen habe ich selbst gemacht – aus deiner Schrift zusammengebastelt. Mußte nur die Buchstaben umstellen und vier dazukaufen.«

»Zwei N, ein T...«

»... und ein A. Zwei R, ein B und ein K sind übriggeblieben. Die liegen hinten im Schuppen. Du kannst sie haben, wenn du willst.«

»Danke.«

Nancy lächelte und schenkte Wein nach.

»Dort hinten haben vorhin zwei Feuerwehrmänner gesessen«, sagte Harry.

»Werner und Rudi.«

»Kenn ich nicht.«

»Die zwei sind meine besten Freundinnen. Und meine treusten Stammgäste.«

»Die sind nicht von hier, oder?«

»Du bist ziemlich lange weg gewesen, Harry. In der Zwischenzeit sind Leute weggezogen und zugezogen, und manche sind geboren und manche gestorben.«

»Sind sie – Feuerwehrmänner?«

»Nur heute abend. Letzte Woche waren sie Chirurgen, und vorletzte SS-Offiziere. Die beiden haben mir den goldenen Drachen über der Küchentür geschenkt. Sind eines Abends einfach damit hereinspaziert. Werner hat das Kopfende getragen, Rudi den Schwanz. Sie haben den Drachen aufgehängt und sich dann hingesetzt und ihre Bestellung aufgegeben, als ob nichts wäre.«

»Großartig.«

»Eigentlich ist es ja ein chinesischer Drache und paßt gar nicht in ein Thai-Restaurant.«

»Ist doch egal.«

»Ja.«

»Und das Haus?«

»Welches Haus?«

Harry breitete die Arme aus. »Dieses Haus.«

»Das ist meins. Du hattest ziemlich viele Schulden bei mir, kann ich dir sagen, bei all den ausstehenden Alimenten.«

»Tut mir leid.«

Nancy machte eine wegwerfende Handbewegung. »Wir haben alles unbürokratisch verrechnet; ich hoffe, das ist dir recht. Mit den Herren vom Sozialamt bin ich ja gut bekannt, und mit denen vom Konkursamt auch.«

»Ich bin Konkurs gegangen?«

»Und wie. An deiner Stelle hätte ich mich vielleicht auch nach Mexiko abgesetzt.«

»Weiß eigentlich die ganze Stadt, wo ich . . .«

»Aber Harry, was glaubst du denn!« Nancy warf wieder den Kopf in den Nacken und ließ ihr blechernes Lachen hören. »Daß man spurlos verschwinden kann? Sich in Luft auflösen? Alle haben gewußt, wo du steckst, alle! Mexiko war sogar mal offizielles Karnevalsmotto hier im Städtchen.«

»Wegen mir?«

»Zu deinen Ehren. Vor vier oder fünf Jahren.«

Das erschütterte Harry erheblich. Er erinnerte sich wohl an die Photoreportage im »Tagblatt«, in der es von Sombreros und Kakteen und aufgemalten Schnurrbärten nur so gewimmelt hatte. Aber nie war er auf den Gedanken gekommen, daß das einen Zusammenhang mit seiner Person haben könnte.

»Und – die Sauhunde?«

»Die haben doch herausgefunden, wo du gesteckt hast! Haben sich krummgelacht, als ein paar Wochen nach deinem Verschwinden das »Tagblatt« im Abonnement nach Mexiko ging! Ein paar wollten dich sogar besuchen.«

»Wer?«

»Der Randeisen und der Wertheim und der Müller. Nur so, zum Spaß. Der Wertheim hatte schon Hawaii-Hemden für alle gekauft. Aber dann haben sie keinen Termin gefunden, der allen paßte.«

»Wissen die, daß ich wieder hier bin? Hat einer von denen dich ...«

»Das war Sandra. Sie hat angerufen, als du die Piano-Bar verlassen hast.«

»Die Bardame?«

»Wollte mich warnen. Sie glaubt, du bist ein entflohener Häftling oder so.«

Hier stockte das Gespräch. Harry stocherte mit der Gabel in seinem Teller, und Nancy holte einen Stoß frisch gebügelter Servietten, um sie eine nach der anderen sorgfältig zu falten. Schließlich war er es, der die Stille unterbrach.

»Und dir geht's gut, ja?«

»Mir geht's gut.«

»Ich habe mich oft gefragt, wie's dir geht. Drüben.«

»Ach ja?«

»Mußt nicht glauben, daß ich nicht an dich gedacht hätte.«

»Nein?«

»Ich sage so was normalerweise nicht.«

Und wieder Nancys Lachen. »Ein Süßholzraspler bist du wirklich nicht.«

»Ich habe oft an dich gedacht.«

»Du glaubst doch nicht etwa …«

»Wirklich oft.«

»Glaubst du, daß es Liebe war?« fragte Nancy, und dabei musterte sie ihn aus den Winkeln ihrer mandelförmigen Augen und lächelte ihr orientalisches Lächeln, daß Harry wegschauen und sich eine von ihren Zigaretten anstecken mußte. Sie tranken einen Schluck und nickten einander linkisch zu über die Weingläser hinweg, und dann stellten sie die Gläser wieder ab und schoben sie sorgfältig zurecht. Mal dahin, mal dorthin und wieder zurück.

»Und dem Kleinen?« sagte Harry. »Wie geht's dem?«

»Na ja.«

»Wie heißt er eigentlich?«

»Gottschalk.«

»Wie?«

»Gottschalk.«

»Du meinst – ก๊อตชาลค?«

»Nein, nein, auf deutsch. Gottschalk.«

»Das ist ja furchtbar.«

»Findest du?«

»Entsetzlich.«

»Mir gefällt's. Gott-Schalk. Verstehst du? Aber ich hätte mir deine Meinung gern angehört. Damals.«

»Ich weiß.«

»Ich habe übrigens den Schwangerschaftstest gefunden, den du aus dem Fenster geworfen hast. Er lag im Gewürzbeet in der Petersilie – ein bißchen zerbrochen, aber das Resultat konnte man noch ablesen. Den hättest du beiseite schaffen sollen.«

»Hab's vergessen in der Eile. Wie geht's dem Kleinen?«

»Von März bis September hat er Heuschnupfen, das

ganze Jahr über Asthma und jeden Winter zwei Lungenentzündungen. Das Klima hier ist nichts für ihn. Meine Mutter möchte mit Gottschalk heim nach Thailand für die nächsten paar Jahre, bis er kräftig genug ist für den europäischen Winter. Aber das geht nicht.«

»Wieso nicht?«

»Mama ist alt. Sie hat Rheuma und den grauen Star, und abends ruft sie durchs ganze Haus nach ihrem Mann, er soll ihr Tee bringen.«

»Und?«

»Mein Vater ist seit zwanzig Jahren tot.«

»Verstehe.«

»Und ich selbst kann hier nicht weg. Nicht jetzt.«

»Wieso nicht?«

»Das mußt du verstehen, Harry. Man muß das Geld verdienen, solang man es verdienen kann. Besonders als Frau.«

»Hmm.« In Harrys Kopf nahm eine Idee Gestalt an. Na, Gestalt noch nicht gerade, aber immerhin.

7

In jener Nacht saßen sie noch lange beisammen. Sie brachte ihm Früchte zum Nachtisch und dann Kaffee und Cognac, und als sie danach in den Keller stieg und mit einer Flasche Gewürztraminer wiederkam, setzte sie sich nicht mehr ihm gegenüber, sondern rechtwinklig neben ihn, damit sie näher beieinander waren. Er erzählte vom Klirren der Tequila-Flaschen im Kühlschrank, von der nachmittäglichen Stille im Billardsalon und vom traurigen Ende von Jack oder Joe. Von den Mädchen in den ausgelatschten Adidas erzählte er nichts. Ob Nancy von gewissen Dingen ebenfalls schwieg, weiß man nicht. Sie berichtete von Harry Widmer seniors Begräbnis, das sehr schön gewesen sei, und vom Hochwasser im letzten Herbst und vom Dachstockbrand im »Rathskeller«; sie erzählte vom Konkurs der Handelsbank, bei der die meisten Bürger des Städtchens ziemlich viel Geld verloren hatten, nicht aber Nancy und die Sauhunde, die im voraus Bescheid gewußt hatten; sie erzählte von jenem besoffenen Baggerfahrer, der im Restaurant »Eisenhahn« Streit mit der Wirtin bekam, worauf er zur nächsten Baustelle lief und einen Bagger auslieh, um ein ziemlich großes Loch in die Fassade des Restaurants zu reißen und fünf geparkte Autos zu Schrott zu fahren; von ihrem ehemaligen Chef, dem Besitzer der Piano-Bar, dem die Balkan-Mafia den Mercedes in die Luft sprengte, weil er mit den Schutzgeldzahlungen in Rückstand geraten war; vom Neujahrsfeuerwerk vor drei Jahren, bei dem eine ganze Batterie Raketen zur Seite gekippt war und die Zuschauer hatten Deckung suchen müssen hinter geparkten Autos; und sie erzählte vom kleinen Gottschalk, der fließend Thai und Deutsch und Englisch sprach und der allen Kindern im Quartier die Räder flickte, weil er vom Senior in die Kunst der Fahrradmechanik eingeführt worden war. Dabei griff er auf das großväterliche Ersatzteillager zurück, das noch immer trocken und warm im Schuppen hinter dem Haus verwahrt wurde und das noch ausreichen würde bis in die Tage von Gottschalks Kindern und Kindeskindern.

Nancy und Harry saßen zusammen am Tisch, bis durchs Fenster blau der neue Tag hereinschien. Dann gingen sie hinauf in die Wohnung, die über dem Restaurant lag und in der in grauer Vorzeit Harry Widmer junior und senior gelebt hatten und die jetzt der Höhle von Angelitos Frau im fernen Mexiko verblüffend ähnlich sah. Leise, leise, um den kleinen Gottschalk und seine Oma nicht zu wekken, öffneten sie eine letzte Flasche Wein. Sie waren verlegen, stotterten umher und fuhren einander ungelenk übers Haar. Und da beide Schlafzimmer besetzt waren, legten sie sich später aufs Sofa. Beim Frühstück dann kamen sie überein, daß Harry als Beschützer seines Sohnes und seiner Schwiegermutter nach Thailand fahren sollte. Und zwar möglichst bald.

Genauso geschah es. Am Morgen des übernächsten Tages fuhr bei NANCY'S CRAZY THAI-SHOP ein Taxi vor. Drei Gestalten huschten mit großen Reisetaschen über den Gehsteig, stiegen ein und waren auch schon verschwunden.

Das ist jetzt auch schon wieder sieben Jahre her. Wie man hört, hat Harry Widmer auf der Insel Phangan eine ganze Kette von Surf-Corners gegründet und mit ihnen viel Geld verdient.

Der kleine Gottschalk ist dreizehn Jahre alt und wird nächstens wegen exzessiver Absenzen vom Gymnasium fliegen. Hingegen hat er keinerlei Atembeschwerden mehr. In der Freizeit entwendet er gerne den Cherokee Chief seines Vaters für kleine Spritzfahrten, und im Freundeskreis widmet er sich mit Vorliebe der Einnahme von Haschisch und Kokain. Immerhin spielt er sehr schön Geige, wenn er sich unbelauscht glaubt, und zuweilen hat er Heimweh nach Kopfsteinpflaster, das unter dem Schnee verschwindet.

Gottschalks Großmutter hat ihr Rheuma auskuriert, und der graue Star wurde operativ entfernt. Sie nimmt zur Zeit Fahrstunden und genießt den Wohlstand, den ihr der Schwiegersohn ermöglicht. Ihr Gebiß glitzert von Gold und Diamanten, Arme, Ohren und Hals sind schwer mit Schmuck behangen, und alle paar Tage stellt sie ein neues Dienstmädchen ein, das er dann wieder entlassen muß, weil es für eine sechste Hausangestellte wirklich keine Arbeit gibt. Das alles trägt Harry mit heiterer Gelassenheit. Eines aber wird ihm allmählich zu viel: daß die Schwiegermutter immer dringender nach ihrem verstorbenen Ehemann verlangt, und zwar nicht nach dem freundlichen Greis, der er zuletzt war, sondern nach dem feurigen Burschen, den sie Mitte des letzten Jahrhunderts geheiratet hat. In ihrer Einsamkeit weint und heult die verwirrte Alte halbe Nächte lang und findet nur Trost, wenn sich Harry auf den Bettrand setzt, ihr sanft übers weiße Haar streicht und auf Thai altertümliche Zärtlichkeiten murmelt. Dann flüstert sie leise den Namen ihres Gatten und schläft lächelnd ein.

Ein besonders glücklicher Tag war es für Harry, als Angelito unangemeldet zu Besuch kam – eigens angereist über Guadalajara, Mexico City, Houston und Bangkok. Er überbrachte die besten Wünsche seiner Gattin sowie Harrys mexikanische Gewinne der letzten sieben Jahre und die traurige Nachricht, daß Juanita, die zahnlose Vettel mit dem gelben Haar, am Tag ihres Einzugs ins rote Häuschen glückselig betrunken an Herzversagen gestorben war. Und dann soffen Harry und Angelito eine Woche lang und spielten Billard und jammerten über des Menschen Unzulänglichkeit.

Ansonsten wartet Harry treu darauf, daß Nancy endlich ihr Restaurant verkauft und zu ihnen stößt. Aber sie vertröstet ihn Jahr um Jahr. Schließlich muß sie das Geld verdienen, solange sie es verdienen kann. Und als Harry kürzlich die Zeitverschiebung vergaß und sie zu nachtschlafener Zeit anrief, nahm zum ersten Mal ein Mann ab.

Ende